La fuerza
del
optimismo

BIBLIOTECA CRECIMIENTO PERSONAL

La fuerza del optimismo

Luis Rojas Marcos

Diseño de la cubierta: Maru Godàs
ISBN: 978-84-473-5364-4

Depósito legal: NA-1270-2007
Impresión y encuadernación: RODESA

Impreso en España - *Printed in Spain*

Dedico este libro a los hombres y mujeres abiertos a la idea de que la dicha y la desdicha no dependen tanto de los avatares de la vida como del significado que les damos.

Índice

1
En busca del optimismo

«El firmamento no es menos azul porque las nubes nos lo oculten o los ciegos no lo vean».

ANTIGUO PROVERBIO DANÉS

VISITA SORPRESA AL HOSPITAL COLER MEMORIAL

«En nuestra vida no hay un día sin importancia».

ALEXANDER WOOLLCOTT,
Mientras Roma arde, 1934

Una mañana nublada de febrero de 1996 paseaba yo nerviosamente, arriba y abajo, por mi despacho de la Corporación de Sanidad y Hospitales Públicos de Nueva York, que dirigía desde hacía sólo seis meses. Las finanzas municipales eran realmente precarias y llevaba unos días muy preocupado por la posibilidad de que tuviéramos que cerrar varios ambulatorios en algunas zonas pobres de la ciudad. Para colmo, George, un colega y buen amigo de muchos años, había sufrido la noche anterior un accidente de automóvil en una autopista de Los Ángeles y estaba ingresado en la unidad de cuidados intensivos de un hospital californiano.

Me imaginaba lo peor. Los presentimientos más negros inundaban mi mente y me impedían concentrarme en el trabajo. Decidí cancelar las citas que tenía esa mañana.

Para distraerme y aliviar el desasosiego se me ocurrió hacer una visita sorpresa a uno de los hospitales de la Corporación. Sé por experiencia que las apariciones imprevistas del jefe suelen provocar unas buenas dosis de actividad e improvisación saludables entre los directivos, además de que el personal y los pacientes las agradecen y aprovechan para airear espontáneamente sus quejas y satisfacciones.

Sin pensarlo mucho más, me dirigí al hospital Coler Memorial, ubicado en la pequeña isla Roosevelt, en la bifurcación Este del río Hudson que separa los barrios de Manhattan y Queens. Este espacioso sanatorio fue construido en 1949 y bautizado con el nombre del primer director de Bienestar Social de Nueva York. Con mil y pico camas, el Coler Memorial es uno de los mayores hospitales públicos de Estados Unidos dedicado al cuidado y rehabilitación de pacientes crónicos, en su mayoría afligidos por enfermedades degenerativas neurológicas o lesiones cerebrales graves provocadas por problemas vasculares o por accidentes.

Una vez en el centro fui directamente al despacho de Sam Lehrfeld, director ejecutivo desde hacía más de una década. Sam es un hombre de cincuenta y tantos años, algo regordete, con cara amplia y grandes ojos azules de expresión alegre. Aparte de ser un gran gestor sanitario, es conocido por su cordialidad, su afición a la gastronomía, su sentido del humor y la incombustible energía positiva que mantiene contra viento y marea. Verdaderamente, Sam posee el temperamento idóneo para liderar una institución dedicada a enfermos muy incapacitados y a menudo incurables.

Al verme se sorprendió por unos segundos pero enseguida se le iluminó el semblante y me invitó a que desayunáramos juntos en la cafetería del hospital. Por cierto, el Coler Memorial, con su menú multiétnico, goza de tan buena reputación culinaria que empresas del vecindario suelen encargar a su cocina la comida para sus fiestas y recepciones, algo insólito en la industria hospitalaria. Una vez terminada la colación, le dije a Sam que quería darme una vuelta por la segunda planta, recién renovada, en la que se encontraban internados pacientes tetrapléjicos, paralizados de barbilla para abajo, que requieren atenciones continuadas y respiración asistida. Aunque Sam insistió en acompañarme, le convencí de que prefería ir solo.

El olorcillo a desinfectante típico de los hospitales me invadió nada más entrar en la unidad. El sonido rítmico de las bombas neumáticas de los respiradores artificiales que día y noche inyectan y extraen el aire de los pulmones de pacientes que han perdido la capacidad de respirar por sí mismos resonaba en el ambiente. Me identifiqué ante la enfermera encargada y le expliqué que quería saludar a algún paciente. Acto seguido entré al azar en una de las habitaciones.

Un hombre de aspecto joven yacía medio recostado en una cama, respirando trabajosamente. Inmóvil de brazos y piernas, tenía la cabeza sujeta por unos soportes forrados de gasa y los ojos muy abiertos y fijos en las imágenes de una película que se proyectaba en la pantalla de un pequeño televisor colgado frente a él. Noté que tenía una traqueotomía —abertura que se hace artificialmente en la tráquea para facilitar la respiración— cubierta con un tapón. Al lado de la mesilla de noche había un respirador automático en punto muerto.

Cuando oyó mis «buenos días», giró los ojos hacia mí, me echó una mirada penetrante y sonrió levemente. Me presenté y le dije que, si no tenía inconveniente, me

15

gustaría saber cuál era el motivo de su hospitalización y su opinión sobre los cuidados que recibía del personal. Hablando con dificultad en un lenguaje entrecortado, con tono grave y áspero pero comprensible, me dijo que se llamaba Robert, tenía 46 años, era ingeniero de profesión y llevaba algo más de cinco años ingresado a causa del grave accidente de trabajo que había sufrido mientras inspeccionaba una obra. Me explicó que se lesionó seriamente la médula espinal a nivel cervical y, como consecuencia, había quedado totalmente paralítico. Robert estaba casado y tenía un hijo de diez años y una hija de ocho. En cuanto a su evaluación del hospital, elogió el trato que recibía y se mostró especialmente animado al contarme que en los últimos tres meses había conseguido, con mucho esfuerzo, respirar por su cuenta durante casi dos horas al día.

Robert me comentó que era consciente de la alta probabilidad que tenía de permanecer paralizado durante el resto de sus días. Sin embargo, no dudó en añadir que en el pasado había superado retos duros, como la muerte de su padre, con quien estaba emocionalmente muy unido, cuando él sólo contaba 15 años, y las consiguientes dificultades económicas. Por otra parte, se sentía muy animado porque había logrado ir controlando poco a poco su programa cotidiano en el hospital. Estos logros le hacían pensar que quizá en el futuro también vencería su invalidez, por lo menos hasta el punto de poder vivir en casa con su familia. Le pregunté cómo era su día a día en el hospital y me contestó que bastante mejor de lo que en un principio había anticipado. Se había hecho «adicto» —me dijo— a varias series de televisión, y siempre esperaba con buen apetito la hora de la comida; disfrutaba de las buenas relaciones de amistad que había desarro-

16

llado con algunas enfermeras y fisioterapeutas del centro y, sobre todo, se sentía feliz cuando le visitaban sus hijos y su mujer.

Fascinado por la actitud positiva de Robert, en un momento de la conversación se me ocurrió preguntarle que calculara su nivel de satisfacción con la vida en general desde el 0 (muy desgraciado) al 10 (muy dichoso). Después de una breve reflexión me respondió sonriente y con seguridad que «un ocho». El notable me sorprendió. A continuación, le pregunté qué número se hubiera dado antes del accidente. Casi sin vacilar contestó: «Yo diría que un ocho y medio, más o menos». «¿Sólo medio punto más?», exclamé en un reflejo de incredulidad. «Querido doctor —me replicó Robert pausadamente como para tranquilizarme—, aunque le parezca mentira me considero un hombre con suerte. He sobrevivido a un terrible percance y mantengo intactas mis facultades mentales. De hecho, desde el accidente mi vida ha adquirido un significado más profundo. Creo que, de alguna forma, me he convertido en mejor persona. Soy más comprensivo con los demás, aprecio mucho más las cosas pequeñas que antes consideraba triviales... Quién sabe, quizá un día pueda ayudar a superar este problema a otras personas que, como yo, han visto su destino torcerse de repente».

Sin decir nada, puse mi mano en su hombro y le miré intensamente, buscando en su expresión algo que justificara mi escepticismo. Lo único que percibí fue el fulgor del optimismo brillar en sus ojos. Sentí que esa luz era la prueba más segura de que Robert había superado emocionalmente su desgracia.

En el coche, de regreso al despacho, anoté los detalles de la conversación, mientras me decía para mis adentros «¡qué admirable!», «¡qué sorprendente!».

Trabajando en el mundo de la enfermedad y la invalidez aprendí muy pronto dos lecciones. La primera es que el pensamiento positivo posee un inmenso poder reparador. La segunda, que la esperanza abunda entre las personas mucho más de lo que nos imaginamos. A lo largo de los años, estas dos lecciones han sido ratificadas diariamente y, no hace mucho, fueron esculpidas en mi propia alma como secuelas de mi experiencia personal el 11 de septiembre de 2001 en Nueva York. Con todo, aquella charla con Robert en el hospital Coler Memorial fue la experiencia que realmente prendió en mi mente la llama de la curiosidad por escudriñar a fondo esa tendencia tan humana de enfocar las vicisitudes de la vida a través de una lente que acentúa los aspectos más favorables y minimiza los negativos.

MANOS A LA OBRA

«No se intentaría hacer nada si antes se tuvieran que superar todas las objeciones posibles».

PAULA F. EAGLE,
Comunicación personal, 2000

Seis años después de aquella visita sorpresa al Coler Memorial dejé el puesto que ocupaba al frente de los hospitales públicos neoyorquinos y me incorporé al más sosegado ambiente académico de la universidad. Fue entonces cuando sentí que había llegado el momento de profundizar en el talante optimista, investigar sus raíces, sus ingredientes, sus manifestaciones y sus efectos.

Nada más empezar me di cuenta de lo placentero de la tarea. Habituado a trabajar en el campo de los males del cuerpo y de la mente, estudiar el optimismo entrañaba para mí un grato respiro, una tregua reconfortante. Mas debo confesar que la labor también me suponía un reto: los profesionales de la medicina no le hemos prestado mucha atención a los rasgos saludables de la naturaleza humana y no estamos acostumbrados a pensar en las actitudes positivas de las personas. Esta deficiencia se explica en parte porque, desde que aparecieron los primeros curanderos y chamanes en la prehistoria hasta hace poco, los hombres y las mujeres de mi gremio se han ocupado casi en exclusiva de aliviar los padecimientos que torturan y roban la vida sin piedad a sus semejantes. Los pocos compañeros que optaron por dedicarse a la investigación se concentraban, por pura necesidad, en las causas y los remedios de las enfermedades y epidemias que dominaban implacablemente el destino de los mortales. Y la verdad es que no daban abasto.

Al igual que sus colegas médicos, los peritos de la mente no tuvieron más remedio que dedicarse durante muchas décadas a intentar mitigar los síntomas que arruinaban la vida de los enfermos mentales, y a menudo también la de sus familiares. Era una misión que además no resultaba nada fácil, pues el estudio del funcionamiento del cerebro siempre ha planteado —y aún plantea— un enorme desafío. Es precisamente en esta enrevesada amalgama, compuesta de miles de millones de neuronas entrelazadas y sumergidas en un mar de poderosas sustancias químicas, donde se configura la personalidad, se almacenan los recuerdos, se cuecen los pensamientos y se fraguan las emociones, las actitudes y los comportamientos, tanto los saludables como los malsanos.

Otro motivo por el que se ignoraron los aspectos positivos de la mente humana es que la psicología y la psiquiatría son ciencias relativamente nuevas, que desde su infancia estuvieron influenciadas por el fatalismo filosófico. El nacimiento de la psicología como disciplina que estudia los procesos mentales de los seres vivientes se suele fechar en 1879, cuando el biólogo de la universidad alemana de Leipzig, Wilhelm Wundt, decidió crear «un nuevo campo de la ciencia» y estableció el primer laboratorio dedicado al estudio de las funciones de la mente. Wundt y sus colegas idearon tests psicológicos para explorar la atención, la memoria y el estado de ánimo de las personas. En 1890 el psicólogo neoyorquino y profesor de Harvard, William James, publicó el primer manual, titulado *Principios de psicología*.

Estos psicólogos pioneros se dejaron seducir por las profundas ideas pesimistas que predicaban casi todos los filósofos de la época, una manía que analizaré con algún detalle más adelante. Por ejemplo, William James reconocía que había personas que pese a tener el «alma enferma» mantenían «una actitud ilusionada». No obstante, para él la utilidad de la esperanza se limitaba a posponer los inevitables desengaños de la vida. Este psicólogo mantenía que el optimismo «es un velo que nos evita ver las duras verdades de la existencia, pero dada la abundancia de fracasos y desilusiones, nadie lo puede llevar puesto durante mucho tiempo».

Igualmente, la psiquiatría, rama de la medicina que estudia el diagnóstico y el tratamiento de los trastornos mentales, surgió hace menos de dos siglos y dio sus primeros pasos en un ambiente cargado de prejuicios y teorías absurdas. No olvidemos que hasta hace poco los individuos que tenían perturbadas sus facultades eran ignorados cuando no castigados, encerrados o exorcizados por hechiceros o clérigos. La situación de estos enfermos mejoró poco a poco con el avance de los conocimientos psiquiátricos y la progresiva sensibilización de la sociedad frente a las enfermedades mentales. Con todo, durante mucho tiempo los psiquiatras mantuvieron una visión bastante negativa de la naturaleza humana.

Un psiquiatra universal, contemporáneo de William James, fue Sigmund Freud, el inventor del psicoanálisis. Según sus biógrafos, Freud era un hombre supersticioso, muy preocupado por la muerte y convencido de que las personas «están destinadas a frustrarse y sufrir, o a frustrar y hacer sufrir a otros, por lo que la más modesta aspiración a la felicidad no es más que una irracional quimera infantil». En su obra *El malestar en la cultura* (1930) este genial explorador de la mente apuntó con crudeza: «El hombre es una criatura dotada de tal ración de agresividad que le sería fácil exterminarse... Sólo nos queda esperar que el eterno Eros —el instinto de vivir— despliegue sus fuerzas para vencer en la lucha contra su no menos inmortal adversario Tánatos —el instinto de destruir—. Mas ¿quién podría vaticinar el desenlace final?». Un mensaje algo más esperanzador se puede deducir de su respuesta, en septiembre de 1932, a una carta del físico Albert Einstein, en la que éste le preguntaba si había alguna forma de salvar a la humanidad de la amenaza de la guerra. Freud le respondió: «Una cosa le puedo decir: todo lo que estimula el crecimiento de la civilización trabaja, al mismo tiempo, en contra de la guerra».

El concepto preponderantemente pesimista de la naturaleza humana fue compartido incluso por profesionales que estudiaban aspectos positivos de las personas, como por ejemplo Erich Fromm. Este reconocido psicólogo, que exploró con lucidez el amor y la libertad, consideraba que los seres humanos, en su mayoría, eran materialistas, incapaces de amar, infelices, y proclives a la autodestrucción. En su famoso tratado sobre el arte de amar (1956) declaró: «El hombre es consciente de que nace sin su consentimiento y perece en contra de su voluntad… Es consciente de su soledad y de su impotencia ante las fuerzas de la naturaleza y de la sociedad. Todo esto hace de su existencia una prisión insoportable».

La primera persona de mi gremio cuyas ideas optimistas tuvieron un impacto significativo en mi formación fue la psiquiatra de origen alemán residente en Nueva York, Karen Horney (1885-1952). Horney, a quien nunca conocí, argumentó con claridad que, en condiciones normales, todos los seres humanos desarrollamos las capacidades que nos permiten realizarnos como individuos: la habilidad para sacar el máximo partido a nuestros recursos personales, la fuerza de voluntad y la aptitud para relacionarnos íntimamente con los demás. Horney, quien había sido discípula de Sigmund Freud, rechazó abiertamente el concepto del instinto de destrucción o Tánatos desarrollado por el maestro, lo que le supuso el boicot de muchos de sus colegas. En su libro principal, *Neurosis y crecimiento humano* (1950), comparó sus ideas con las de Freud con estas palabras: «Si usamos los términos optimista o pesimista en el sentido profundo de afirmar el valor del mundo y de la vida o negar el valor del mundo y de la vida, la filosofía de Freud es pesimista y la mía optimista».

Con muy pocas excepciones, hasta finales del siglo XX los psicólogos y psiquiatras le prestaron más atención a la psicosis que a la cordura, al miedo que a la confianza, a la fobia que al valor, a la melancolía que al entusiasmo. Por ejemplo, en una revisión electrónica de las revistas de psicología más prestigiosas del mundo, realizada entre 1967 y 1998, el profesor de Psicología de Michigan, David Myers, encontró 101.004 artículos sobre depresión, ansiedad o violencia, pero solamente 4.707 sobre alegría, amor o felicidad. Dicho de otra forma, por cada artículo que trataba sobre un aspecto positivo de la persona, veintiuno lo hacían sobre alguna faceta negativa.

Sólo en los últimos veinte años, los avances en medicina, en psicología y, sobre todo, los adelantos farmacológicos en el tratamiento de las alteraciones mentales, permitieron que la oleada de clínicos e investigadores que hasta entonces había enfocado su atención únicamente en la patología fuese poco a poco cambiando de rumbo, hasta concentrarse también en los elementos que contribuyen a la satisfacción de las personas con la vida.

La importancia de la investigación de los aspectos positivos de la mente humana fue finalmente reconocida de forma oficial en el año 2000, cuando varias facultades de Psicología estadounidenses, alentadas por el profesor de la Universidad de Pensilvania Martin E. P. Seligman, formalizaron la asignatura de Psicología Positiva. Esta nueva materia universitaria incluye el estudio de las experiencias y los rasgos del carácter que ayudan a las personas a sentirse dichosas y a mantenerse mentalmente saludables. Como resultado, cada día contamos con un contingente mayor de ingeniosos doctores y doctoras que investigan los ingredientes de la confianza, de la seguridad, del placer, de las relaciones gratificantes, y de la ilusión. En palabras de Seligman, «Los científicos de la mente del nuevo milenio no sólo se preocuparán por corregir lo peor de la condición humana, sino que también se dedicarán a identificar y promover lo mejor».

En los ocho capítulos que siguen presento mis hallazgos y experiencias, así como las ideas que he aprendi-

23

do de otros. Comienzo por hacer un repaso breve y selectivo de la historia del pensamiento positivo. Es una crónica con una dosis alta de subjetividad en la que especulo sobre los orígenes borrosos del optimismo, destaco la mala prensa que ha tenido y aún tiene entre pensadores eruditos y profanos, y lo enfoco a la luz de las ciencias neuropsicológicas. Seguidamente detallo los ingredientes que distinguen la disposición optimista de la pesimista, y los encuadro en tres esferas: nuestra memoria del pasado, nuestra interpretación del presente y nuestra visión del futuro. Exploro también las fuerzas que forjan nuestro temperamento: el equipaje genético, los rasgos del carácter y los valores culturales.

Después de identificar los venenos más dañinos para el optimismo —la indefensión crónica y la depresión—, describo dos estrategias de probada eficacia para fomentar una disposición optimista realista. A continuación, examino la influencia del optimismo en las relaciones con otras personas, en la salud y en el trabajo. Comento también su impacto en los escenarios de la política, el deporte, la medicina y el periodismo. Finalizo con un análisis de la cualidad más valiosa de nuestro optimismo: su enorme y probada utilidad a la hora de hacer frente a la adversidad en la vida.

2
Orígenes del pensamiento positivo

«Pensar que el futuro es de color de rosa es algo tan biológico como las fantasías sexuales... Apostar por la esperanza ante la incertidumbre es tan natural en nuestra especie como andar con dos patas».

LIONEL TIGER,
El optimismo, 1979

Cuestión de supervivencia

«Que la civilización pueda sobrevivir o no depende en verdad de nuestra manera de sentir. Es decir, depende de lo que queramos las personas».

BERTRAND RUSSELL,
The New York Times Magazine,
19 de marzo, 1950

Aunque no es realmente posible estar seguros de cómo era el temperamento de nuestros antepasados más lejanos que no dejaron rastros escritos, yo me inclino a pensar que en el momento en que adquirieron conciencia de sí mismos y de su entorno, hace unos cuatrocientos milenios, a la mayoría se le iluminó la cara con una sonrisa de regocijo. Imagino que las razones fueron varias. En primer lugar, al mirar hacia atrás debieron de sentirse muy orgullosos de haber superado las duras pruebas a que les había sometido la implacable ley de selección natural. De acuerdo con esta fuerza irresistible, encargada de favorecer las cualidades físicas y mentales útiles para la conservación y mejora de la especie y de descartar las inservibles, sólo los miembros más aptos de la familia de los grandes primates podían aspirar a protagonizar el papel de seres humanos. Me figuro que nuestros ancestros percibieron especialmente su gran logro cuando compararon su suerte con la de los chimpancés y los gorilas, sus parientes del reino animal.

Es verdad que algunos profesionales respetables, como el profesor de Arqueología de la Universidad de Harvard Steven LeBlanc, o el antropólogo de la Universidad de California Robert B. Edgerton, piensan que los seres humanos de la prehistoria no tenían nada que celebrar. Según ellos, vivían angustiados y deprimidos, acosados continuamente por despiadadas enfermedades y por las caprichosas fuerzas de la naturaleza. No obstante, yo mantengo que esta sombría valoración del talante de nuestros ascendientes remotos refleja puntos de vista moldeados por modernos valores estéticos y expectativas de bienestar a los que nuestros predecesores eran ajenos.

Si reflexionamos sobre la milenaria conservación de la especie humana, tiene sentido que la esperanza abundara entre sus miembros iniciales, aunque no fuese nada más que porque servía de potente incentivo para hacer el amor y reproducirse, para buscar con ilusión y tenacidad los frutos de la naturaleza y para resistir las agresiones. Los críticos de la utilidad del optimismo para la supervivencia argumentan que mientras los miembros optimistas de las tribus trogloditas preferían arriesgarse ante los terremotos y huracanes, o perdían la vida enfrentándose imprudentemente a los tigres y bisontes que les acechaban, los agoreros eran cautelosos y se protegían en la seguridad de las cuevas. Sin embargo, como expondré más adelante, hoy sabemos que el pensamiento positivo es congruente con las ganas de vivir y perfectamente compatible con la capacidad de valorar con sensatez las ventajas y los inconvenientes de las decisiones.

El optimismo saludable no implica un falso sentido de invulnerabilidad ni un estado alocado de euforia. Por el contrario, es una forma de sentir y de pensar que nos ayuda a emplear juiciosamente las habilidades propias y los recursos del entorno, y a luchar sin desmoralizarnos contra las adversidades.

La disposición positiva de nuestros predecesores, además de manifestarse en su capacidad para buscar sentimientos placenteros y crear estrategias prácticas de supervivencia, se reflejó con nitidez en tres facetas muy importantes de su existencia: en la religión, en su forma de entender y abordar las enfermedades y en su progresiva civilización.

MITOS Y CREENCIAS

> «Los seres humanos creemos en lo que queremos creer, en lo que nos gusta creer, en lo que respalda nuestras opiniones y en lo que aviva nuestras pasiones».
>
> SYDNEY J. HARRIS,
> *Limpiando la tierra*, 1986

Según David Fromkin, profesor de Historia de la Universidad de Boston, nuestros ascendientes, movidos por su ansia de explicar las fuerzas de la naturaleza, de regular sus propios impulsos y de vencer los infortunios que les acosaban, concibieron a los dioses mitológicos. A estos personajes divinos les atribuían la creación y el funcionamiento del universo; aunque les imputaban todas las calamidades, también les adornaban con algunas virtudes, incluida la esperanza. Recordemos brevemente el mito más antiguo que se conoce sobre los orígenes de la esperanza.

Cuenta la leyenda que Prometeo, el titán creador de la humanidad, regaló secretamente a los mortales el fuego que había robado del Olimpo, y les transmitió los conocimientos que había recibido de Atenea. Al enterarse Zeus, el dios supremo, se enfureció de tal manera que lo encadenó a una columna e hizo que un buitre le comiera las entrañas durante el día, para que se regeneraran por la noche y así sufriese sin descanso. Seguidamente, Zeus ordenó a su hijo Hefesto, dios del fuego, que creara a la mujer más hermosa posible. Hefesto obedeció y dio vida a Pandora. Zeus entonces mandó a Pandora a la Tierra para que regalara a Prometeo una bonita caja en la que antes él había guardado las enfermedades, la envidia, el odio, los vicios, la locura y demás males de la humanidad. Mas Zeus estaba tan ofuscado por la furia que en un descuido también introdujo en la caja la esperanza. Prometeo, intuyendo la mano siniestra de Zeus, no aceptó la caja y rogó a Pandora que nunca la abriese. Pandora, sin embargo, no pudo resistir la tentación y un día la destapó. De inmediato salieron de la caja todos los males, pero también escapó la esperanza, y desde entonces amparó a los mortales.

Hace unos tres mil años, señala David Fromkin, los habitantes de la Tierra, en un insólito empeño por canalizar mejor su perspectiva positiva de la vida, comenzaron a sustituir a las intrigantes y arbitrarias divinidades mitológicas por profetas más fiables y misericordiosos, como Abraham, Moisés, Lao Tse, Zoroastro, Buda, Confucio, Jesucristo y Mahoma. Estos persuasivos personajes defendían la figura de un Dios justo y compasivo, predicaban la buena convivencia en este mundo pero, sobre todo, ofrecían caminos seguros para conseguir la dicha después de la muerte. En realidad, estas nuevas religiones no eran más que argumentos en los que nuestros antepasados reflejaban la esperanza que ya florecía en sus mentes; esperanza que les ayudaba a neutralizar su total indefensión ante las calamidades e, indirectamente, a sobrevivir. De hecho, el biólogo David S. Wilson opina que la religión es una herramienta del instinto humano de conservación.

En el fondo, los profetas no hacían más que predicar en el campo fértil de los conversos. Yo estoy de acuerdo con Lionel Tiger, profesor de Antropología de la Universidad de Rutgers, Nueva Jersey, en que la religión es una expresión del optimismo natural del género humano. Este autor también sugiere que a través de la historia las instituciones religiosas han explotado esta inclinación innata al pensamiento positivo: «El optimismo es la esencia de las bodas, de los bautizos, e incluso de los funerales —escribe—, garantiza un empleo a los clérigos, al igual que a los crupieres y a los loteros».

Las grandes religiones se convirtieron en poco tiempo en una especie de pantallas en las que miles de millones de hombres y mujeres proyectaron, y aún proyectan, ideales como el triunfo final del bien sobre el mal, o ilusiones maravillosas como la inmortalidad del alma y la felicidad perpetua en el más allá.

El campo de las enfermedades y su tratamiento también ha servido desde tiempos remotos como escenario del pensamiento positivo de las personas. Los seres humanos siempre hemos vivido bajo la amenaza o la tortura de padecimientos físicos y mentales. Hace decenas de miles de años la humanidad ya era torturada por el cáncer, la artritis, las infecciones y las lesiones accidentales. Los médicos primitivos de turno eran chamanes, brujas, magos o hechiceras que utilizaban su intuición para inventar remedios y sortilegios, y su poder de persuasión para estimular en sus clientes el sentimiento terapéutico de esperanza y facilitar, así, el alivio de los males del cuerpo y del alma. Nuestros ancestros, sin embargo, no consideraban las dolencias y la muerte sucesos naturales sino que las ponían en la categoría de lo sobrenatural. Para ellos las enfermedades eran condiciones misteriosas causadas por la ira divina o por espíritus malignos. Esto explica que se practicaran intervenciones disparatadas, como por ejemplo trepanar o perforar el cráneo del paciente «para que escaparan los demonios».

En las tablas sumerias de hace unos cuatro mil años se describen remedios como el uso de heces humanas en forma de lociones para repeler a los malos espíritus, o la ingestión de excrementos de gatos y cerdos para «purificar» el cuerpo. De ahí probablemente viene el viejo dicho: «Si las pócimas que nos dan los médicos fuesen arrojadas al fondo del mar, la humanidad estaría mucho mejor y los peces mucho peor». Está claro que la esperanza era un requisito para la supervivencia humana. Como apunta un proverbio antiguo, «la fe en el poder curativo de la cabeza de una sardina muerta, la convierte en un poderoso remedio».

Aparte de algunas hierbas medicinales que servían para aliviar leves desarreglos, la realidad es que hasta el siglo XIX se sabía muy poco sobre las causas de las enfermedades y aún menos sobre cómo curarlas. Baste recordar que la penicilina fue descubierta por el bacteriólogo escocés Alexander Fleming, una mañana de 1928, y tardó en salir al mercado más de una docena de años.

Todo esto sugiere que, en realidad, hasta hace poco la eficacia de la medicina estuvo basada en el *efecto placebo*. Este efecto se produce cuando un enfermo mejora, o incluso se cura, después de ingerir una sustancia inocua o de ser sometido a una intervención sin ningún valor terapéutico. Por ejemplo, tomarse una cápsula que únicamente contiene unos granos de azúcar para remediar una úlcera de estómago. El término «placebo», que fue usado por primera vez por médicos ingleses a comienzos del siglo XIX, no es otra cosa que la primera persona del futuro del verbo latino *placere*, «gustar», es decir, «me gustará». Es una expresión que intenta reproducir la expectativa positiva del enfermo antes de tomar el supuesto medicamento.

Hoy está sobradamente demostrado que entre el 25 y el 50 por ciento de los enfermos más comunes mejora o incluso se cura después de ingerir sustancias que no afectan a su enfermedad. Por eso, como analizaré con más detalle en el capítulo que dedico a la relación entre optimismo y salud, para que un nuevo medicamento salga al mercado se tiene que demostrar que sus beneficios curativos son estadísticamente superiores a los de una sustancia placebo. Las personas que trabajamos en el mundo de las enfermedades no tardamos mucho en percatarnos de que los pacientes más convencidos de que el remedio que toman aliviará su enfermedad son los que tienen mayores probabilidades de estimular sus defensas naturales y de facultarse a sí mismos para sanar.

Desde el amanecer de la humanidad, en el terreno de las enfermedades se ha evidenciado espectacularmente el poder de la fe para mover montañas.

«Ningún pesimista ha descubierto el secreto de las estrellas, ni ha navegado por mares desconocidos, ni ha abierto una nueva puerta al espíritu humano».

HELEN KELLER,
Optimismo, 1903

El desarrollo de la civilización constituye otro fruto de la energía positiva humana. Es razonable pensar que una especie como la nuestra, que apareció en África y en menos de cien mil años dominó el planeta, albergase la chispa del optimismo, la vitalidad y la motivación para buscar formas novedosas de someter a la naturaleza en su propio beneficio y mejorar su existencia. Productos antiguos de esta energía creativa son el descubrimiento de la agricultura y la ganadería, la edificación de ciudades y el invento de la escritura.

La historia de los pueblos ha seguido derroteros diferentes. Pero desde que nuestros padres y madres antediluvianos adquirieron conciencia de sí mismos y persiguieron sin descanso la dicha propia y la de sus semejantes, la humanidad en general se ha visto inmersa en un proceso inalterable de crecimiento. Sería irreal negar que hoy existen países sumidos en la pobreza, la enfermedad y la violencia más atroz. No obstante, si analizamos la esperanza de vida, el nivel de educación general o el número de las sociedades democráticas, nunca tantos hombres y mujeres han disfrutado de una calidad de vida tan alta. Además, nunca el sufrimiento de nuestros semejantes, las injusticias sociales y el despilfarro de las riquezas naturales han provocado tanta repulsa e indignación.

Por todo esto, es prudente concluir que la inexorable fuerza de la selección natural que regula la evolución de nuestra especie garantizó que los genes de nuestros antepasados remotos prefirieran la disposición vitalista. Y como hacen los atletas en las carreras de relevos, pasaron el testigo del optimismo de generación en generación.

Pese a que esta hipótesis está avalada por el sentido común y la evidencia que nos ofrecen los anales de la civilización, nunca ha gozado de apoyo unánime. Siempre me ha llamado la atención que tantos personajes que a lo largo de nuestra historia han aportado ideas de gran lucidez se hayan mostrado rabiosamente adversos al optimismo y hasta temerosos de que las perspectivas positivas de las personas se hiciesen realidad. Recordemos, como ejemplo, el sarcástico comentario que escribió hace casi dos siglos el filósofo germano Arthur Schopenhauer (1788-1860): «Si cada deseo fuera satisfecho tan pronto como surgiese, ¿cómo ocuparían los hombres su vida o cómo pasarían el tiempo? Imagínense nuestra raza transportada a Utopía, donde todo crece por sí solo y los pavos vuelan ya asados, donde los enamorados se encuentran sin retraso y se mantienen unidos sin dificultad. En semejante lugar, unos hombres morirían de aburrimiento o se ahorcarían, otros pelearían y se matarían entre ellos. Al final, estos hombres se infligirían unos a otros incluso más sufrimiento del que la naturaleza les inflige en este mundo».

FILÓSOFOS MELANCÓLICOS

«¿Por qué será que quienes han destacado en filosofía y en otras artes son individuos melancólicos, afligidos por la enfermedad de la bilis negra?»

ARISTÓTELES,
Problemas, 350 a.C. (aprox.)

El planteamiento pesimista de la existencia es el que ha primado en el mundo de las cavilaciones metafísicas. Como sugiere la cita de Aristóteles, a este gran pensador griego ya le llamó la atención la propensión de los intelectuales a la tristeza. Por cierto, su referencia a la bilis negra se debe a que, conforme a la teoría de su contemporáneo el insigne médico Hipócrates de Cos, la melancolía era una enfermedad causada por el planeta Saturno que inducía al bazo del paciente a segregar grandes cantidades de bilis negra —en griego *melainacole*—, la cual oscurecía su estado de ánimo.

En los últimos cinco siglos, reconocidos filósofos, enamorados de la idea de que unas pocas premisas morales elegantes eran suficientes para revelar los misterios de la existencia, promulgaron elucubraciones profundamente deprimentes sobre el significado de la vida, la naturaleza humana y el destino de los mortales. Aunque advierto que no soy en absoluto experto en filosofía, entre los eruditos que a mi parecer resaltan por su derrotismo se encuentran el inglés Thomas Hobbes (1588-1679), el escocés David Hume (1711-1776), los alemanes Immanuel Kant (1724-1804), Friedrich Nietzsche (1844-1900) y Martin Heidegger (1889-1976), el madrileño José Ortega y Gasset (1883-1955), y el francés Jean-Paul Sartre (1905-1980). Una opinión que estos pensadores compartían mayoritariamente era que sólo quienes no reflexionan sobre la vida pueden mantenerse esperanzados. En palabras del tétrico filósofo danés Søren Kierkegaard (1813-1855), «aunque en verdad todos estamos igualmente desesperados, las personas que estudian la vida son las que verdaderamente experimentan la desesperanza. Quienes no estudian la vida no sienten la desesperación y se creen más contentos».

Ni siquiera los contados filósofos que consideraron que el universo fue creado como un medio acogedor y fecundo para los seres humanos pudieron evitar impregnar su hipótesis positiva de un espíritu fatalista que negaba toda posibilidad de mejora e invitaba a la aceptación de las injusticias y calamidades. El más representativo de este grupo quizá fuese el taciturno Gottfried Leibniz (1646-1716). Nacido en Alemania en el seno de una familia luterana muy estricta, Leibniz llevó una existencia plagada de dificultades económicas, depresiones y dolorosas enfermedades. Pese a todo, en su tratado sobre la justicia divina argumentó que Dios había utilizado sus infinitos conocimientos para crear «el mejor de todos los mundos posibles... Un mundo óptimo». Leibniz fue el primero en usar este término que procede del latín *optimus*, y significa inmejorable. Pero atención, dado que era un mundo perfectamente equilibrado que ofrecía la mayor cantidad de bien a costa de la menor cantidad de mal, cualquier intento de mejorarlo alteraría este equilibrio y daría lugar a un mundo peor. El escritor londinense Alexander Pope (1688-1744) ilustró así este concepto: «Si agudizáramos mucho nuestro sentido del olfato, al oler una rosa podríamos morir de una sobredosis de aroma».

En 1759 el autor parisino François Arouet, Voltaire, molesto con «la manía de algunos de empeñarse en que todo está bien cuando las cosas van realmente mal», escribió la célebre novela *Cándido o el optimismo*. En este ocurrente relato, Voltaire ridiculizó agudamente la visión positiva del mundo. Recordemos brevemente la sugestiva historia de Cándido, la más famosa caricatura literaria del optimismo.

Cándido era un muchacho alegre, de hábitos modestos, juicio recto, y cuyo rostro inocente siempre dejaba adivinar su pensamiento. Vivía con su tío, un severo y poderoso barón, en su castillo de Westfalia. Su preceptor era el doctor Pangloss, un filósofo que siempre aplicaba a pies juntillas el principio de que «el mundo es un lugar perfecto en el que todo va bien y todas la cosas cumplen por necesidad un fin bueno… las piedras están para hacer castillos y los cerdos para ser comidos».

Un día el barón se enteró de que Cándido se había enamorado de su hija Cunegunda y lo expulsó violentamente del castillo. A partir de ese momento las tragedias se sucedieron sin tregua en la vida de la pareja de enamorados y del doctor. A los pocos días de salir del castillo, Cándido fue apresado y torturado por soldados búlgaros. Escapó a Lisboa, donde sobrevivió de milagro a un fuerte terremoto. Allí encontró a una atormentada Cunegunda, quien había sido violada y apuñalada por un búlgaro. Mientras tanto, el profesor Pangloss, que también había huido a Lisboa, fue detenido, martirizado y casi ahorcado por los inquisidores portugueses, quienes consideraban su idea del «mundo perfecto» incompatible con el dogma del pecado original. Para salvarse, Pangloss se incorporó de remero a una galera turca.

Tras múltiples calamidades Cándido y Pangloss viajaron a Constantinopla. Allí se unieron a una envejecida Cunegunda que se encontraba en un estado lamentable, tras haber sido esclava de un cruel potentado turco. Ante tantos infortunios, los tres decidieron instalarse en un campo a las afueras de la ciudad, donde periódicamente Pangloss recordaba a Cándido mientras cultivaban la tierra: «¿Lo ves?, todos los sucesos están encadenados y forman el mejor de los mundos posible. Porque si no hubieses sido expulsado a patadas del castillo por amar a Cunegunda, si no hubieses sido perseguido por la inquisición, si no hubieses recorrido medio mundo a pie… no estarías aquí saboreando cabello de ángel y pistachos». A lo que Cándido respondía resignado, sin levantar la cabeza: «Maestro todo está bien, sigamos cuidando nuestro jardín».

Cinco años más tarde, Voltaire retornó al tema del optimismo en su *Diccionario filosófico* (1764). Esta vez fue para plantear un desafío a los críticos que no estuviesen de acuerdo con su noción negativa de la vida. «Si se asoman a la ventana, verán solamente personas infelices, y si de paso cogen un resfriado, también ustedes se sentirán desdichados», presagió el filósofo con ironía.

OBSERVADORES ESPERANZADOS

«Quienes se olvidan de sus teorías del bien y del mal y se concentran en conocer los hechos tienen más probabilidades de encontrar el bien que aquellos que ven el mundo a través de la lente deformada de sus prejuicios».

BERTRAND RUSSELL,
Análisis de la mente, 1921

Tuvo que transcurrir un siglo y medio antes de que apareciesen pensadores decididos a responder al desafío de Voltaire. En mi opinión, dos personajes representan al grupo reducido de filósofos pioneros que se levantaron de sus soporíficas butacas y se asomaron con curiosidad a las ventanas de sus despachos, para observar a sus semejantes en su entorno natural. Uno fue el pensador bilbaíno Miguel de Unamuno (1864-1936). El matemático inglés Bertrand Russell (1872-1970) fue el otro.

La primera impresión de Unamuno fue conmoverse al observar a españoles y españolas que «no quieren comedia sino tragedia». Según nos cuenta en su colección de ensayos titulada *Del sentimiento trágico de la vida* (1913), identificó entre sus compatriotas a muchos «desesperados silenciosos que declaran que se debe hundir todo aunque no se hunda nada». Para este gran intelectual, la propensión al pesimismo proviene unas veces de una enfermedad transitoria, otras de la vanidad o del esnobismo, y en ocasiones del carácter de la persona. Unamuno, sin embargo, lejos de descorazonarse o de contagiarse del talante pesimista de sus paisanos, decidió explorar más a fondo la mente humana y terminó encontrando la esperanza y apostando fuerte por la ilusión con el más allá: «La inmortalidad hay que anhelarla, por absurda que nos parezca; es más, hay que creer en ella, de una manera o de otra». Al mismo tiempo, se percató de que en mucha gente el coraje constituía un potente antídoto del derrotismo. «El pesimista que protesta y se defiende no puede ser pesimista», afirmó. Según él, a las personas optimistas les mueven las ilusiones, por eso «pelean y no se rinden ante la adversidad».

Unamuno elogió la virtud de reírse de uno mismo y aconsejó que «todos deberíamos aprender a ponernos en ridículo ante los demás y ante nosotros mismos». Para ilustrar esta idea utilizó la siguiente anécdota: «Murió Don Quijote y bajó a los infiernos, y entró en ellos lanza en ristre, y libertó a todos los condenados, como a los galeotes. Cerró sus puertas y quitando de ellas el rótulo que allí viera el Dante —*Abandona todas tus ilusiones*—, puso el que decía *¡Viva la esperanza!*, y escoltado por los libertados, que de él se reían, se fue al cielo». Unamuno resaltó el poder del optimismo y el pesimismo sobre los pensamientos: «No suelen ser nuestras ideas las que nos hacen optimistas o pesimistas —señaló— sino que es nuestro optimismo o nuestro pesimismo, de origen fisiológico o patológico tanto el uno como el otro, el que hace nuestras ideas».

Bertrand Russell, contemporáneo de Unamuno, fue otro pensador que también se asomó a la ventana para ver la realidad. En su obra magistral, *La conquista de la felicidad* (1930), Russell relata que vio más individuos felices que infelices, y enseguida se percató de que el entusiasmo era el signo que mejor distinguía a los unos de los otros. A pesar de una juventud pesarosa —«En la adolescencia odiaba la vida y estaba continuamente al borde del suicidio»—, Russell llamó la atención por su inagotable vitalidad, su sentido del humor y sus fervientes ideas pacifistas. En sus escritos, hasta su muerte a los 98 años, siempre hizo referencia a la atracción por la vida que mostraba la mayoría de las personas. Advirtió también que los individuos de disposición positiva y abierta llevaban vidas más agradables y se adaptaban mejor a las circunstancias que aquellos que manifestaban una inclinación al negativismo o al rechazo de todo lo que les rodeaba. Para explicarnos esta observación, Russell usó las fresas como símbolo de la vida y comentó: «No existe prueba objetiva de que las fresas sean buenas o malas. Para quienes les gustan, son buenas; para quienes no les gustan, no lo son. Pero a quienes les gustan gozan de un placer que los otros no tienen».

Unamuno y Russell son ejemplos de pensadores que buscaron y encontraron el optimismo directamente en las personas y no en el reino de las ensoñaciones y especulaciones abstractas. A mi entender, el pesimismo de tantos ilustrados que se dedicaron, o se dedican, a entender la vida y el porqué de las cosas se debe a que encasillan a la fuerza supuestos morales preconcebidos en sus teorías fatalistas. Sospecho que su perspectiva de la humanidad sería mucho más positiva y realista si escaparan de la clausura de sus mentes y, antes de construir sus teorías, observaran de cerca a hombres y mujeres de carne y hueso.

Precisamente, ningún sistema de estudio ha contribuido más a nuestro conocimiento como el método científico, basado en la observación y evaluación cuidadosas del fenómeno en cuestión. Los practicantes de la buena ciencia no inventan verdades sino que las descubren. A continuación exploraré la contribución de algunos científicos geniales al entendimiento de las bases del optimismo.

3
La ciencia
del optimismo

«Nada es demasiado maravilloso para ser
verdad».

MICHAEL FARADAY,
Historia de una vela, 1861

EL SIGNIFICADO DE LAS COSAS

«Cuando una pareja de enamorados se sientan juntos en el césped durante una hora les parece un minuto. Pero que se sienten en un horno caliente durante un minuto... les parecerá más de una hora. Esto es la relatividad».

ALBERT EINSTEIN, cita en su obituario,
The New York Times, 19 de abril de 1955

A principios del siglo pasado, Iván P. Pavlov, el científico ruso premio Nobel de Medicina en 1904, estudiaba en su laboratorio de la Universidad de San Petersburgo el papel de la saliva en la digestión de alimentos. Un día se sorprendió al observar que los perros a los que llevaba una semana dando de comer comenzaban a salivar cada vez que le veían entrar en la sala, aunque no les llevase comida. El intuitivo doctor dedujo que los animales salivaban porque relacionaban la comida con la bata blanca que él vestía. Para confirmar su sospecha, Pavlov diseñó un experimento en el que demostró que, tras alimentar a los canes durante varios días al mismo tiempo que hacía sonar una campanilla, los animales producían jugos gástricos al oír la campanilla pese a no recibir alimento. Según Pavlov, los perros segregaban jugos digestivos porque habían aprendido a dar al sonido de la campana —como hicieran anteriormente con su bata blanca— el mismo significado que a la comida. Pavlov se pasó el resto de su vida estudiando esta forma de configurar significados por asociación, un fenómeno que en el campo de la psicología se conoce como «condicionamiento clásico».

En 1920, el psicólogo estadounidense John B. Watson demostró en su laboratorio de la Universidad de Johns Hopkins —por cierto, en un experimento bastante criticado por su crudeza— que las personas también dan significados a las cosas según las circunstancias en que las perciben. Este investigador condicionó a un niño pequeño llamado Albert a reaccionar con espanto a la vista de un inofensivo ratoncito blanco, después de hacer coincidir repetidamente la aparición del ratón con un ruido muy desagradable. Hoy nadie duda de que las personas asignan significados muy subjetivos a los mismos sucesos o situaciones, por lo que reaccionan ante ellos de formas diferentes: lo que para un niño es un simple ratoncito blanco amistoso y juguetón, para otro representa un animal peligroso y aterrador.

El hecho de que los seres humanos nos movamos principalmente por conceptos abstractos y figuras simbólicas da al tema del significado una relevancia especial. Basta con examinar las proezas o las atrocidades consumadas a través de la historia por defender unos trozos de telas de colores o banderas nacionales, o por insignias como la cruz o la media luna, para darnos cuenta del potentísimo papel que juegan los símbolos en los asuntos humanos.

Los significados connotativos o añadidos que damos por asociación a las cosas casi siempre están más cerca de nuestras experiencias personales que de sus significados literales, objetivos o denotativos. Por ejemplo, a una herida no le damos el mismo sentido si ocurrió durante un accidente que si fue el resultado de una agresión. La cicatriz que deja una intervención quirúrgica no tiene el mismo significado que la cicatriz que deja una puñalada. Está ampliamente demostrado que la violencia humana intencional provoca en la persona daños psicológicos más graves y duraderos que los desastres naturales o los percances imprevistos, aunque estos últimos tengan peores consecuencias físicas.

Todos necesitamos darle significado a nuestras emociones, etiquetarlas y achacarlas a algo. Esta necesidad es tan potente que incluso cuando nuestro estado emocional es puramente fisiológico, es decir, está producido artificialmente por una sustancia como la adrenalina, que se limita a inducir palpitaciones, nerviosismo y un aumento de la presión arterial, la tendencia espontánea es atribuir nuestro estado de tensión física a alguna circunstancia externa. Esto es precisamente lo que demostró en un ingenioso experimento Stanley Schachter, psicólogo de la Universidad de Stanford. Los participantes en la investigación eran estudiantes voluntarios a quienes previamente se había informado —falsamente— de que el propósito del proyecto era estudiar los efectos de un nuevo fármaco para mejorar la vista. En realidad, el fármaco era adrenalina que, como he dicho, produce simplemente un estado físico de tensión emocional sin ningún tono o matiz positivo o negativo. Seguidamente, los investigadores advirtieron por separado a la mitad de los participantes —«los informados»— de que la medicación les iba a provocar tensión nerviosa y taquicardia. A la otra mitad —«los ingenuos»— les indicaron que el fármaco no les haría sentir nada especial.

Todos los participantes recibieron una inyección de adrenalina. Después de esperar unos minutos, un grupo pasó a una sala en la que unos actores, representando a investigadores, creaban un ambiente simpático y jovial, y otro grupo entró en una sala en la que otros actores crearon un ambiente hostil y de irritación. Al terminar el experimento todos los sujetos completaron un cuestionario en el que describían su estado emocional. Los participantes que habían sido informados de antemano sobre los efectos reales de la inyección de adrenalina declararon que se habían sentido «tensos» pero no habían experimentado ninguna emoción positiva o negativa; sabían que el fármaco y no los actores les había producido el estado de tensión nerviosa. Sin embargo, los participantes «ingenuos» se consideraban alegres o enojados de acuerdo con la situación ficticia a la que habían sido expuestos. Así pues, la misma reacción fisiológica producida por la adrenalina fue interpretada como simples efectos de este fármaco por aquellos que ya los anticipaban, o como emociones de alegría o de enojo, según el ambiente social creado ficticiamente, por quienes no anticipaban los efectos de la adrenalina. En suma, todos los participantes necesitaron interpretar su estado emocional, y cada uno lo hizo a su manera.

La relatividad de los sentimientos que provocan las situaciones y de los conceptos que representan los objetos y los signos explica, en parte, nuestra actitud optimista o pesimista ante las mismas cosas. La subjetividad de nuestras percepciones forma la base de las pruebas psicológicas llamadas «proyectivas», que se utilizan para estudiar la personalidad. Quizá la más antigua y mejor conocida sea la prueba de Rorschach, inventada a principios del siglo XX por el joven psiquiatra suizo Hermann Rorschach (1884-1922). Desde pequeño, Rorschach estaba tan interesado en los efectos visuales de las manchas de tinta que en el colegio le apodaron «Kleck» —de *tintenkleck*, que en alemán significa «mancha de tinta». En uno de sus primeros experimentos, seleccionó diez manchas y se las mostró a cuatrocientos sujetos voluntarios con el fin de estimular sus pensamientos y fantasías. Unos veían —o sea, proyectaban— personas en estos perfiles ambiguos, otros identificaban animales, había quien percibía movimiento e intercambios, entre diferentes figuras, y muchos evocaban experiencias pasadas importantes. En la actualidad los psicólogos clínicos utilizan la clasificación de las respuestas obtenidas, en decenas de miles de pruebas acumuladas durante décadas, para identificar rasgos del carácter, esclarecer conflictos emocionales e incluso diagnosticar trastornos mentales.

La vieja prueba de la botella llena de agua hasta la mitad ilustra de una forma más simplista pero no menos reveladora cómo el temperamento de la persona moldea su perspectiva de las cosas. Ante «la botella de la vida» ocurre lo mismo. Unos la ven llena de posibilidades y se reconfortan, mientras que otros la perciben escasa en oportunidades y se entristecen. Aunque no fuese un científico en el sentido estricto de la palabra, el pensador jesuita Baltasar Gracián en su novela *El criticón*, escrita hace tres siglos y medio, representó de forma dramática la subjetividad de la percepción. Los personajes de esta historia son Andrenio, un joven salvaje que habitaba en solitario una isla remota, y Critilo, un hombre muy instruido que es rescatado por Andrenio al naufragar su barco. Seguidamente ambos emprenden juntos un largo viaje que les obligará a superar múltiples retos. Al final del relato se encuentran con la muerte, «la suegra de la vida». Lo que sigue es la reacción textual de cada uno al verla:

Andrenio: ¡Qué cosa tan fea!
Critilo: ¡Qué cosa tan bella!
A.: ¡Qué monstruo!
C.: ¡Qué prodigio!
A.: De negro viene vestida.
C.: No, sino de verde esperanza.
A.: ¡Qué desapacible!
C.: ¡Qué agradable!
A.: ¡Qué pobre!
C.: ¡Qué rica!
A.: ¡Qué triste!
C.: ¡Qué risueña!

Es evidente que los seres humanos no se ajustan a la misma interpretación del mundo que les rodea. Cada persona ve las cosas que le importan a su manera o, como sugirió el asturiano Ramón de Campoamor, según el color del cristal con que las mira.

Resulta curioso que la subjetividad es algo que dentro del marco de la física moderna se da por hecho, desde que el científico alemán Albert Einstein formuló la teoría especial de la relatividad (1905). Esta teoría transformó conceptos hasta entonces considerados exactos o absolutos —como la velocidad de la luz, el espacio y el tiempo— en elementos cambiantes y relativos. Su base principal es el hecho de que el punto de vista o posicionamiento del observador condiciona inevitablemente su percepción del suceso que observa.

«La esperanza tiene tantas vidas como un gato, pero no más».

HENRY W. LONGFELLOW,
Hyperion, 1839

A mediados de la década de los ochenta unos experimentos con conejillos de Indias y perros hicieron otra aportación interesante al estudio del optimismo, al demostrar la relación entre el sentido de controlar la suerte en circunstancias adversas y la esperanza. Richard G. M. Morris, profesor de Neurociencia de la Universidad de Edimburgo, interesado en la memoria de los roedores, llevó a cabo en su laboratorio un experimento que constaba de dos pruebas consecutivas. Previamente había escogido al azar dos docenas de conejillos de Indias o cobayas. En la primera prueba introdujo la mitad en un estanque de agua enturbiada con un poco de leche, para que no vieran unos cuantos montículos que había colocado en el fondo. Éstos eran los cobayas «con suerte», porque mientras braceaban para flotar se podían apoyar y descansar temporalmente en los promontorios ocultos antes de proseguir su marcha en busca de una salida. A la otra docena de cobayas los metió en un estanque de aspecto similar pero sin montículos. Estos conejillos «desafortunados» no tenían más remedio que nadar sin descanso para no ahogarse. Después de un buen rato, Morris sacó a todos los exhaustos animalitos del agua para que se recuperaran.

A continuación tuvo lugar la prueba definitiva: el investigador echó a los veinticuatro cobayas a un estanque de agua, también enturbiada con leche, sin isletas donde descansar. Mientras los cobayas del grupo «con suerte», a los que en el primer experimento les había tocado el estanque con montículos en los que apoyarse, nadaban a un ritmo tranquilo, el grupo de cobayas «desafortunados» chapoteaba desesperadamente sin rumbo. Justo en el momento en que las puntiagudas narices de los agotados conejillos de Indias desaparecían bajo el agua, Morris los rescató de uno en uno y, después de apuntar el tiempo que habían nadado, los devolvió a sus jaulas extenuados y probablemente sorprendidos de estar vivos.

Cuando Morris calculó los minutos que los cobayas se habían mantenido a flote, descubrió que los del grupo «con suerte» habían nadado más del doble de tiempo que los «desafortunados». Su conclusión fue que los conejillos «con suerte» nadaron más tranquilos y durante más tiempo porque recordaban las invisibles isletas salvadoras de la primera prueba, lo que los motivaba a buscarlas con la «esperanza» de encontrarlas. Por el contrario, los cobayas que durante la primera prueba no habían encontrado apoyo alguno, tenían menos motivación para nadar y hasta para sobrevivir.

Mientras tanto, en un laboratorio de la Universidad de Pensilvania, el profesor Martin Seligman estudiaba con un método parecido el comportamiento de perros que habían sido expuestos a diversas situaciones estresantes. En el experimento más conocido, Seligman formó dos grupos de canes elegidos al azar. Acto seguido, metió a un grupo en una jaula de metal en la que los animales recibían molestas descargas eléctricas cada pocos segundos. Estos pobres perros, hiciesen lo que hiciesen, no podían escapar. Al otro grupo lo introdujo en una caja metálica igualmente electrificada pero de la que los canes escapaban empujando con el morro un panel que tenían enfrente. En un segundo experimento, puso a todos los perros juntos en una jaula electrificada de la que podían salir saltando una pequeña pared. Mientras que el grupo de canes que en la primera prueba había logrado controlar los calambres se liberaba en pocos segundos, los perros que en la primera prueba fueron incapaces de escapar de los molestos choques eléctricos permanecieron inertes y no hacían esfuerzo alguno por huir de la tortura.

Seligman calificó de indefensión la reacción de estos perros pasivos sufridores, y pensó que los animales habían aprendido en el primer experimento a sentirse indefensos y, como consecuencia, en situaciones posteriores de adversidad no consideraban la posibilidad de controlar su suerte. En cierta manera, se habían convertido en perros desesperanzados, «recordaban lo ocurrido en la primera prueba y daban por hecho que sus respuestas no servirían para nada, por lo que ¿para qué intentarlo?», especuló. Seligman también observó que estos canes «pesimistas» con el tiempo sufrían más enfermedades físicas y morían antes que los perros que no habían experimentado la situación de indefensión.

En poco tiempo, diversos científicos en Europa y Estados Unidos lograron demostrar que el fenómeno de indefensión aprendida también se podía producir artificialmente en las personas. Por ejemplo, individuos sometidos a circunstancias desagradables —como un ruido muy molesto— que intentaban controlar sin éxito, tendían a mantenerse pasivos en situaciones incómodas posteriores, pese a que con un poco de esfuerzo habrían podido evadirlas. Igualmente, universitarios a quienes se les pedía que resolvieran problemas que, sin ellos saberlo, no tenían solución, mostraban en exámenes ulteriores menos interés en resolver problemas solubles que los compañeros que no habían participado en la frustrante prueba anterior.

Hoy está comprobado que las personas que disfrutan de un razonable sentido de control sobre sus circunstancias, y consideran que ocupan «el asiento del conductor», aunque esto sea fantasía, se enfrentan más positivamente a los problemas que quienes piensan que no controlan sus decisiones o que éstas no cuentan. La psiquiatra de la Universidad de Columbia Susan C. Vaughan, basándose en numerosos casos clínicos, concluyó que personas que se imaginan que tienen control atenúan mejor sus emociones negativas, incluso en situaciones de intensa ansiedad.

En un curioso experimento llevado a cabo por William Sanderson, psicólogo de la Universidad de Rutgers, veinte enfermos de ataques de pánico se prestaron voluntariamente a respirar aire contaminado de dióxido de carbono (un gas que provoca los síntomas de pánico). Antes de comenzar el experimento, a la mitad de los participantes Sanderson les hizo creer, falsamente, que activando una pequeña llave podrían controlar en todo momento la cantidad de gas tóxico que aspiraban, mientras que la otra mitad de voluntarios fue advertida de que no tendría control sobre la composición del aire. Al final de la prueba, aunque ambos grupos habían inhalado la misma proporción de dióxido de carbono, mientras sólo el 20 por ciento de los pacientes que imaginaban que tenían control sufrieron ataques de pánico, el 80 por ciento de los que pensaban que no controlaban el aire que respiraban experimentaron ataques.

Como explicaré en el capítulo sobre los venenos para el optimismo, el sentimiento persistente de indefensión en situaciones de adversidad socava la esperanza, ensombrece la perspectiva de la vida y daña el optimismo de las personas.

«Las personas que funcionan bien en este mundo son las que al levantarse por la mañana buscan las circunstancias que quieren, y si no las encuentran las inventan».

GEORGE BERNARD SHAW,
La profesión de la Sra. Warren, 1898

La habilidad para camuflar la realidad con el fin de mejorar las posibilidades de sobrevivir abunda en el reino animal. Por ejemplo, algunas serpientes inofensivas exhiben la pigmentación de culebras venenosas y reciben un respeto inmerecido por parte de sus rivales. Los zorros en peligro simulan estar muertos para despistar al agresor, y los chimpancés cojean visiblemente en presencia de un macho dominante para salvar el pellejo. En el caso de los seres humanos, la habilidad para transformar la realidad y protegernos es especialmente útil a la hora de mantener nuestra autoestima y estabilidad emocional. Sigmund Freud, a pesar de su inclinación al fatalismo y de no hacer ni una sola mención al optimismo en su extensa obra, contribuyó al entendimiento de los trucos que inconscientemente utilizamos los seres humanos para escapar de la angustia y la desesperación. En una ocasión incluso interpretó las fantasías de poder y el humor negro que a menudo expresaban los atemorizados reos antes de ser ajusticiados en la horca como «una defensa victoriosa de su invulnerabilidad».

Freud tomó nota de la habilidad humana para echar mano de poderosos mecanismos de defensa con el fin de amortiguar los efectos dolorosos de las desilusiones y frustraciones que atentan contra nuestra dicha. Según él, cuando nos sentimos afligidos por deseos insatisfechos los reprimimos sin darnos cuenta en esa parte nebulosa de la mente que llamamos inconsciente. Allí, o los enterramos y olvidamos, o los reciclamos en pensamientos más tolerables, o los sublimamos y manifestamos en alguna actividad socialmente aceptable. Si bien el padre del psicoanálisis advertía que la represión de ciertos impulsos sexuales o violentos puede ocasionar ansiedad, obsesiones o fobias, también entendía que la principal función de los mecanismos de defensa es ayudar a mantenernos emocionalmente tranquilos y esperanzados.

Una dosis razonable de amnesia selectiva nos ayuda a sobrevivir. En los últimos veinte años se han llevado a cabo muchos estudios sobre el uso de la memoria para protegernos de experiencias desafortunadas y mantener una perspectiva optimista. Después de revisar decenas de experimentos, David C. Rubin, profesor de Psicología Experimental de la Universidad estadounidense de Duke (Carolina del Norte), llegó a la conclusión de que, en general, los seres humanos nos acordamos de más experiencias positivas que negativas —naturalmente, siempre que no estemos deprimidos—. El psicólogo Charles P. Thompson, de la Universidad de Kansas, se propuso investigar a fondo esta hipótesis. Con este objetivo, identificó un amplio grupo de individuos que habían mantenido diarios personales durante un mínimo de quince años consecutivos, y seguidamente les pidió que, sin consultar sus apuntes, evocaran los acontecimientos que consideraban más importantes. Los resultados revelaron que la gran mayoría pasaba por alto o minimizaba el impacto de los fracasos y los rechazos que habían sufrido a lo largo de los años.

Las personas no sólo nos protegemos de las secuelas dolorosas de los desengaños a base de mecanismos de defensa, sino que también optamos por racionalizaciones favorables que nos permiten conservar vivo el entusiasmo. Por ejemplo, todos tendemos a responsabilizarnos más de nuestros triunfos que de nuestros fracasos. Lo habitual es que los deportistas se adjudiquen el mérito de la victoria y culpen al resto del equipo o al árbitro de la derrota. Los estudiantes que suspenden una asignatura tienden a recriminar al profesor o a las circunstancias del examen. Cuando se trata de perspectivas futuras, si preguntamos a universitarios de primer año de carrera sobre sus expectativas académicas, la mayoría predice que probablemente la acabará en los años asignados. Sin embargo, en el momento de la verdad sólo una minoría se gradúa sin tener que repetir por lo menos un año.

Estos resultados coinciden con la teoría formulada en 1957 por el genial psicólogo neoyorquino Leon Festinger sobre la *disonancia mental*: a la hora de explicar o justificar las cosas, las personas seleccionamos los argumentos que mejor respaldan nuestras creencias y conductas, con el fin de evitar los sentimientos discordantes y desagradables que nos producen las contradicciones. Por ejemplo, un fumador habitual que aprende que el tabaco es perjudicial para su salud experimenta la disonancia o el conflicto entre esta información y su hábito. Para eliminar el sentimiento desapacible que le produce este conflicto, el fumador podría dejar de fumar, decisión que sería consecuente con su conocimiento de que el cigarrillo es dañino. Otra alternativa sería que el fumador le quitase importancia o negara los efectos nocivos del tabaco, o que resaltase los beneficios de la nicotina para aliviar su estrés o evitar engordar. También podría racionalizar, para tranquilizarse, que a fin de cuentas el peligro del cigarrillo para la salud es mínimo comparado con el riesgo de los accidentes de tráfico; o por último podría convencerse a sí mismo de que fumar vale la pena porque constituye un placer esencial en su vida, del que no quiere prescindir. Este argumento fue el que utilizó el filósofo existencialista Jean-Paul Sartre cuando afirmaba: «Una vida sin fumar no vale la pena». En cualquier caso, el objetivo es elaborar un razonamiento que evite los sentimientos negativos que produce la discordancia o la falta de coherencia.

La disonancia mental y los mecanismos que utilizamos para neutralizarla son conceptos útiles para entender las estrategias a las que, más o menos conscientemente, recurrimos para defender nuestro talante optimista o pesimista. Por ejemplo, ante la discrepancia que crean en los optimistas los infortunios, es de esperar que traten de neutralizar su impacto enfocando las posibles consecuencias positivas indirectas de estos golpes, por ejemplo con un «podría haber sido peor». Por el contrario, ante los incómodos sentimientos de disonancia que crean las buenas noticias o los sucesos afortunados en los caracteres pesimistas, éstos tenderán a minimizar su importancia o a recurrir a máximas como «ningún buen acto se libra de ser castigado», «no hay almuerzo gratis» o «la excepción confirma la regla».

Una típica situación en la que a menudo se hacen evidentes los mecanismos de defensa es ante enfermedades graves. En mi experiencia, aunque en general los enfermos de una dolencia que pone en peligro su vida quieren saber su diagnóstico y las probabilidades que tienen de curarse, no todos quieren oír malas noticias. Por eso, si temen un mal pronóstico no piden información específica sobre su enfermedad, o cuando el médico se la da, no la oyen. De hecho, no es raro que después de la consulta con el oncólogo algunos enfermos de cáncer notifiquen a sus familiares y amigos que el doctor les ha informado de que están mejorando, pese a que éste les haya anunciado sin el menor atisbo de duda ni reparo que el tumor maligno se ha extendido y su esperanza de vida se ha acortado. Esta defensa es catalogada entre el personal sanitario como «falso optimismo».

Hay médicos que se sienten incómodos o incluso consideran perjudicial dar «esperanzas no realistas» a pacientes incurables. Opinan que la negación interfiere con su preparación y la de sus familiares para la salida de este mundo y que, en retrospectiva, se arrepentirán. Algunos doctores, especialmente insensibles, llegan a obstinarse, casi siempre sin resultado, en que el paciente reconozca abiertamente su condición terminal por su propio bien. La verdad, sin embargo, es que para ciertas personas que se enfrentan con la amenaza de la muerte, el triunfo de la esperanza sobre la dura realidad es precisamente lo que les hace la vida soportable o incluso agradable.

Bastantes trabajos académicos sobre los mecanismos de defensa se centran en calcular los beneficios y los perjuicios psicológicos que aporta a las personas construir una perspectiva positiva que no corresponde necesariamente a la verdad. Aunque en general la esperanza se considera un rasgo saludable del carácter y la desesperanza un síntoma de hipocondría o de depresión, hay quienes advierten de los peligros del excesivo optimismo y proponen el «pesimismo defensivo» como una alternativa mejor, sobre todo para quienes sufren ansiedad o convierten pequeños temores concretos en amenazas aterradoras intangibles. La idea la resume el dicho: «Los pesimistas sólo se llevan sorpresas agradables». El pesimismo defensivo consiste en esperar lo peor con el fin de prepararse para todas las posibilidades de fracaso. Para ello se crean expectativas muy bajas ante situaciones difíciles con el objetivo de acondicionarse para todo lo que pueda ir mal. A mi entender, en el fondo, el pesimismo defensivo es una táctica optimista, pues trata de estimular «la fuerza positiva del pensamiento negativo» y transformar el miedo en acción.

Los mecanismos de defensa, con independencia de la forma que tomen, tienen como objetivo principal preservar la autoestima, la integridad emocional y el perfil social. Se elaboran en el inconsciente y favorecen la adaptación y la supervivencia, especialmente en situaciones muy penosas. No hay duda de que ciertos golpes atentan contra nuestro entusiasmo vital. Las defensas psicológicas nos permiten neutralizarlos, disfrazarlos, minimizarlos o negarlos. La continua evolución del ser humano hace que cada día vivamos más, veamos más, conozcamos más, sintamos más y consideremos más opciones. Bajo estas condiciones una vida sin mecanismos de defensa sería insufrible.

* * *

En suma, la evidencia científica analizada sugiere que las personas damos nuestro propio significado a las cosas y a los sucesos que nos afectan. Cada uno de nosotros enfocamos, percibimos y catalogamos nuestras emociones y el mundo que nos rodea a nuestra manera. Nuestras experiencias pasadas en situaciones comprometidas y, en particular, nuestro sentido de control de las circunstancias moldean nuestra confianza y nuestra forma de pensar y de actuar ante los retos futuros. Paralelamente, todos utilizamos mecanismos psicológicos de defensa con el fin de mantener el equilibrio emocional ante las adversidades y resistir los efectos desagradables de las discordancias entre nuestras expectativas y los hechos. La enorme subjetividad que caracteriza al pensamiento humano explica, en gran medida, que a la hora de afrontar los mismos avatares de la vida unas personas se muestren optimistas y otras pesimistas.

El siguiente desafío es conseguir una fórmula fiable y sencilla que nos permita identificar y medir los ingredientes que forman la dimensión optimista-pesimista del temperamento. Después de analizar y experimentar con varios modelos, he llegado a la conclusión de que un buen método es examinar nuestra perspectiva de las cosas en los tres contextos del tiempo: el pasado, el presente y el futuro. Concretamente me refiero a la valoración retrospectiva que hacemos de las experiencias del ayer, a nuestro estilo habitual de explicar los sucesos que nos afectan en el día a día, y a la esperanza que albergamos de alcanzar lo que deseamos.

4
Ingredientes de la disposición optimista

«Mi vida no tiene propósito, ni dirección, ni finalidad, ni significado, y a pesar de todo soy feliz. No lo puedo comprender. ¿Qué estaré haciendo bien?».

CHARLES M. SCHULZ,
Charlie Brown, 1999

Memoria autobiográfica

«Somos criaturas forjadoras de historias que no podemos repetir, ni dejar atrás».

WYSTAN H. AUDEN,
La mano del tintorero, 1962

El estudio de la memoria humana ha aportado importante información al entendimiento del optimismo. Las personas poseemos dos tipos de memoria: la memoria verbal y la memoria emocional. La memoria verbal es donde almacenamos, por separado, los sucesos recientes y las experiencias del pasado remoto. Esto explica que nos olvidemos de dónde pusimos ayer las llaves de casa o el paraguas, pero nos acordemos con lucidez de sucesos que ocurrieron en la infancia. La memoria verbal es la que utilizamos normalmente en el día a día y la que contiene nuestra autobiografía.

La memoria emocional, por el contrario, está reservada para experiencias que nos conmocionan. En la memoria emocional se conservan, con toda su intensidad y sin palabras, las escenas que presenciamos durante situaciones abrumadoras, los sonidos y los olores que nos impactaron, y las sensaciones corporales —palpitaciones, sudores fríos, sequedad de boca, ahogo en el pecho— que nos invadieron. Ésta es la razón por la cual es tan importante que las víctimas de trauma emocional pongan en palabras y relaten la experiencia vivida, porque les permite disminuir su intensidad y transformarlas en recuerdos más manejables bajo el control de la memoria verbal. De esta forma, un fragmento muy penoso de la vida puede incorporarse al resto de nuestra historia personal.

En la memoria verbal autobiográfica, además de guardar y ordenar múltiples nombres, cifras y hechos, también anotamos las interpretaciones personales que hacemos de los acontecimientos que nos afectan, sus connotaciones y los sentimientos que los acompañan. Por eso, los recuerdos que evocamos tienen el poder de alegrarnos y apenarnos, de hacernos reír y llorar. Excepto aquellas personas que hayan cuidado o conocido de cerca alguna víctima de atrofia cerebral avanzada —como demencia de Alzheimer— resulta casi imposible imaginar un ser humano sin conciencia de sí mismo, sin autobiografía.

Hoy sabemos que las personas que no sufren trastornos graves de la memoria mantienen el pasado relativamente vivo y lo reflejan en mucho de lo que sienten, piensan, dicen y hacen en el día a día. La autobiografía no espera a ser recordada sino que influye constantemente en las decisiones presentes y en las perspectivas del futuro. Como escribió Oscar Wilde, la memoria «es el diario que llevamos con nosotros a todas partes». Nos sirve para reconstruir nuestra historia, para definirnos, identificarnos, valorarnos, relacionarnos con los demás y para percibir y evaluar el mañana. De hecho, tanto si estamos con amigos íntimos como si nos encontramos ante personas que acabamos de conocer, todos hablamos continuamente sobre nuestro pasado. Varios investigadores que han grabado y analizado las conversaciones espontáneas que se producen entre las personas han concluido que rememorar algún aspecto del ayer es un tema de conversación favorito universal que sale a colación un promedio de seis veces por cada hora de conversación.

La memoria autobiográfica tiene dos funciones, una personal y otra social. En el terreno personal, la selección que hacemos de los recuerdos modula nuestro estado de ánimo, estimulando emociones agradables o desagradables. Además, la forma positiva o negativa de sopesar nuestra historia y de reconciliar lo que fue y lo que pudo haber sido moldean el concepto que tenemos de nosotros mismos. En cuanto al aspecto social, el significado que damos a las reminiscencias determina una parte importante de nuestra disposición hacia los demás. Por otra parte, contar historias autobiográficas nos ayuda a dar significado a nuestra vida en el contexto del mundo que nos rodea, y contribuye a formar nuestra identidad social. El intercambio de experiencias con otras personas también nos conecta con ellas, fomenta la participación, la confianza, las relaciones íntimas y la amistad.

Las imágenes que elegimos de las vicisitudes pasadas son cápsulas de tiempo, documentos de un ayer irrepetible que pueden ser usados para explicar nuestra infancia, entender el aquí y el ahora, y aprender lecciones para el mañana. Por eso, los recuerdos que guardamos revelan mucho sobre nuestro nivel de optimismo. Una visión favorable del pasado alimenta la autoestima y nos predispone a confiar en el presente y en el futuro. Por el contrario, una perspectiva desfavorable de nuestras experiencias pasadas puede impregnar de lamentos y pesares nuestro día a día y bañar de inseguridad y desconfianza el mañana.

Las personas de talante optimista hacen gala de su sentido pragmático al guardar y evocar preferentemente los buenos recuerdos, los éxitos del pasado, las relaciones enriquecedoras, los acontecimientos gratificantes. Suelen pensar: «En general, las cosas me han salido bien en la vida», o «Mi experiencia me ha preparado muy bien para superar los contratiempos de ahora», o «Pienso que mis luchas del pasado me ayudarán a resolver los problemas futuros». Estos pensamientos, a su vez, favorecen la perspectiva positiva del presente y del futuro y sirven de protección contra las desilusiones.

El filósofo español Fernando Savater ha resaltado la importancia de nuestra percepción del ayer. En su obra *El contenido de la felicidad* (1986) afirmó: «Todos somos optimistas, no por creer que vayamos a ser felices, sino por creer que lo hemos sido». Este autor observó la tendencia natural de los niños a decir «Lo estamos pasando bien, pero ¿te acuerdas cuánto nos divertimos el año pasado?». Para Savater la dicha está en los recuerdos que «están a salvo». Su conclusión es que «la felicidad es una de las formas de la memoria».

La memoria autobiográfica es selectiva y subjetiva. El reconocimiento de la inexactitud de los recuerdos es muy antiguo. A menudo es difícil distinguir entre historia y mito. La memoria nos permite mantener muy vivas y reales unas experiencias, distorsionar inconscientemente otras para adaptarlas al argumento que más nos conviene, u olvidar sucesos pasados con el fin de preservar nuestra armonía mental. En sus *Memorias del subsuelo* (1864), Fiódor Dostoievski escribió: «Todas las personas decentes mantenemos ocultas ciertas cosas en alguna parte recóndita de nuestra mente porque tenemos miedo de revelarlas incluso a nosotros mismos».

La verdad es que el olvido cura muchas heridas de la vida. Es fácil entender que olvidar alivia la tristeza de la pérdida de un ser querido. También nos ayuda a perdonar los agravios y a recuperar el entusiasmo después de sufrir alguna calamidad. Distanciarse de un ayer penoso facilita el restablecimiento de la paz interior, y anima a «pasar página» y abrirse de nuevo al mundo. Para las personas marcadas por fracasos o infortunios inolvidables, el desafío es explicarlos y entenderlos desde una perspectiva más lejana, menos personal, más amplia. Por ejemplo, aceptar que el sufrimiento y la humillación son elementos inevitables de la vida.

El físico y escritor estadounidense Alan Lightman, en su relato de ficción *Los sueños de Einstein* comenta con sutileza: «Con el tiempo, el Libro de la Vida de cada persona se va espesando hasta que no se puede leer completamente. Entonces viene la elección. Unos leen las primeras páginas para conocerse de niños, otros prefieren leer el final para conocerse de mayores. Algunos, sin embargo, dejan de leer del todo. Abandonan el pasado. Deciden que da igual si ayer fueron ricos o pobres, instruidos o ignorantes, orgullosos o sencillos, amorosos o de corazón frío. Estos hombres y mujeres caminan con el paso ágil de su juventud. Han aprendido a vivir sin rencor en un mundo sin memoria».

El problema de quienes permanecen estancados en el ayer doloroso de su autobiografía es que viven prisioneros del miedo o del rencor, obsesionados con los malvados que quebrantaron su vida, lo que les impide cerrar la herida. La mezcla de culpa y resentimiento les amarra al pesado lastre que supone mantener la identidad de víctima, un papel que debilita y paraliza. Quienes hacen las paces con el pasado, por fatal que éste sea, se liberan, se reponen y controlan mejor su destino. Además, mejoran su salud física al fortificar su sistema inmunológico, como demuestran los estudios realizados hace una década por el psicólogo Fred Luskin y otros investigadores de la Universidad de Stanford, California.

Al reflexionar sobre su vida pasada, los optimistas emplean una mayor dosis de comprensión que los pesimistas, se consideran con mayor frecuencia exentos de culpa por sus errores y tienden a pensar que bajo las circunstancias de entonces, hicieron lo mejor que pudieron. En este sentido, una persona optimista demuestra realismo cuando reconoce que no es justo juzgar el pasado con la ventaja que da saber los resultados de las decisiones que se tomaron. Por el contrario, los inclinados al pesimismo tienden a atesorar lo negativo de los recuerdos y a resentirse, sin tener en cuenta el hecho de que ahora están evaluando el pasado con una visión retrospectiva ventajosa.

La importancia de la memoria autobiográfica crece con los años. Con el paso del tiempo, el futuro se contrae y el presente se transforma rápidamente en pasado. Las personas mayores optimistas se caracterizan por repasar con benevolencia el ayer, por aceptar sin resentimiento la inalterabilidad de la vida ya vivida y por reconciliarse pacíficamente con los conflictos que no pudieron resolver, con los errores que no rectificaron y con las oportunidades perdidas.

«No hay nada que la gente no pueda ingeniárselas para elogiar, reprobar o encontrar una justificación acorde con sus inclinaciones, prejuicios y creencias».

Molière,
El misántropo, 1666

Los seres humanos sentimos una irresistible necesidad de explicar las cosas que nos pasan. Sólo en raras ocasiones nos agarramos a la incómoda noción de la ignorancia o del misterio.

Según el psicólogo Martin Seligman, nuestra forma habitual de explicar las situaciones, tanto adversas como favorables, refleja nuestro talante optimista o pesimista. Seligman analizó las explicaciones de acuerdo con tres valoraciones: la *permanencia* o la duración que le damos al impacto de los sucesos que nos afectan; la *penetrabilidad* o la extensión que asignamos a los efectos de estos acontecimientos sobre nosotros; y la *personalización* o el grado de responsabilidad personal que hacemos recaer sobre nosotros por lo ocurrido.

Lo normal es que los infortunios nos hagan a todos sentirnos desilusionados o frustrados, al menos temporalmente. Sin embargo, las personas optimistas, cuando son golpeadas por alguna adversidad, suelen pensar que se trata de una desventura pasajera o de un contratiempo transitorio del que se recuperarán. Por el contrario, las personas pesimistas tienden a considerar que los efectos de las calamidades son irreversibles y los daños permanentes.

Por ejemplo, una mujer optimista limita su explicación de la discusión que tuvo con su pareja después de que él llegase malhumorado e irritable a casa del trabajo a una circunstancia concreta y eventual: «Algo le ha debido de ocurrir a Luis en la oficina para que esté hoy de tan mal humor». Una interpretación pesimista de la misma situación hubiera tenido un matiz más permanente: «Esta discusión con Luis es una prueba más de su mal carácter y de que nunca cambiará».

Ante las situaciones dichosas ocurre justamente lo opuesto. Los optimistas son propensos a creer que la «buena fortuna» es la regla y perdura, mientras que los pesimistas tienden a considerarla una casualidad fugaz. Después de tener una buena entrevista con el jefe y de recibir un aumento de sueldo, el empleado optimista se dice: «No me extraña la decisión, pues estoy bien preparado, soy maduro, creativo, y me lo merezco». El pesimista piensa: «En esta ocasión tuve suerte y no me fue mal, aunque dudo de que esto me vuelva a suceder».

En relación a la extensión o penetrabilidad del impacto de los sucesos, cuanto más optimista es la persona más tiende a restringir o a encapsular los efectos de los fracasos, y a evitar establecer generalizaciones o fatalismos que no permiten ninguna salida. Para los pesimistas, en cambio, los golpes alteran la totalidad de su persona, por lo que piensan que sus consecuencias serán generales e insuperables. Por ejemplo, después de que su propuesta de un nuevo proyecto fuese rechazada por la encargada del departamento, el subordinado optimista concluye: «La jefa no ha sido objetiva en esta ocasión, no ha sabido captar todas las ventajas del proyecto». Una explicación pesimista hubiera sido: «La jefa es totalmente incompetente, carece de la más mínima objetividad para poder dirigir cualquier operación, así que mi única alternativa es dimitir». Ante las situaciones afortunadas es a la inversa. Los optimistas anticipan que sus efectos positivos moldearán muchas facetas de su vida, mientras que los pesimistas tienden a pensar que el beneficio será muy limitado.

En lo que concierne a lo que Seligman llama la «personalización» ante circunstancias adversas, los individuos optimistas no se sobrecargan de culpa por lo ocurrido, sino que sopesan su grado de responsabilidad así como los posibles fallos de otros. Catalogan los tropiezos como frutos de algún error subsanable que, a la vez, les sirve de aprendizaje. Las personas de temperamento pesimista, por el contrario, se acusan totalmente de lo sucedido, no ven la posibilidad de reparar los desaciertos ni la oportunidad de aprender de la situación.

Por ejemplo, el joven universitario que explica el suspenso en un examen pensando que «verdaderamente no estudié lo suficiente en las últimas semanas, y don José es un sieso que no deja pasar ni una» es más optimista que el que reacciona al fracaso escolar diciéndose: «Soy incapaz, no sirvo para nada, nunca llegaré a ningún sitio». En este caso, el optimista admite que su acción concreta y la actitud del profesor han provocado el resultado, pero la solución está en su mano. El estudiante pesimista, sin embargo, entra en un círculo vicioso sin salida en el que el fracaso es culpa suya y no tiene solución.

Ante circunstancias favorables, los individuos optimistas juzgan que se merecen o son dignos de la recompensa, porque piensan que ellos mismos contribuyen a que se produzcan los buenos momentos. Los pesimistas no se sienten merecedores de algo positivo, no valoran sus propias capacidades. Por ejemplo, el enamorado correspondido que se dice: «Comprendo que esté prendada de mí, tengo mucho que aportar a la relación», es más optimista que quien se explica su dicha amorosa en términos de «menudo golpe de suerte».

Además de estos tipos de explicaciones esbozados originalmente por Seligman, los seres humanos utilizamos la comparación para evaluar las cosas que nos pasan. Está demostrado que si contrastamos una mala situación con una experiencia pasada peor, nos sentimos mejor que si recurrimos a nuestros recuerdos más dichosos del ayer para medir nuestros contratiempos o fracasos de hoy. Igualmente, si contrastamos nuestras circunstancias penosas con las de otros perjudicados, nos sentiremos mejor o peor según la peor o mejor suerte de aquellos con quienes elegimos equipararnos. Después de un desastre natural, los individuos de talante optimista se sienten afortunados si se comparan con damnificados que han sufrido daños mayores que ellos. Expresiones como «miro a mi alrededor y reconozco que me podía haber ido mucho peor» o «por lo menos no soy el único», ayudan a soportar el descorazonamiento que producen los accidentes inesperados. En un estudio de mujeres con cáncer de mama que se reunían semanalmente en grupos de autoayuda, la psicóloga estadounidense Shelley Taylor demostró que las pacientes que habían perdido un pecho se sentían reconfortadas al compararse con enfermas que a causa del cáncer habían sufrido una mastectomía bilateral. Estas mujeres, a su vez, se reconfortaban al contrastar su mal con otras cuyo tumor maligno tenía metástasis o se había extendido a otras partes del cuerpo.

Al margen del juicio moral que se quiera hacer de estas comparaciones, la realidad es que la tendencia a compararnos ventajosamente con nuestros semejantes nos ampara y fortifica nuestra capacidad para mantenernos contentos a pesar de los infortunios. Precisamente, los resultados de varios estudios multinacionales efectuados bajo la dirección del sociólogo holandés Ruut Veenhoven demuestran que grupos socialmente marginados, como minorías inmigrantes, no se diferencian de la población mayoritaria acomodada en el nivel subjetivo de satisfacción con la vida, porque tienden a compararse con los miembros más desafortunados de su propio grupo.

El estilo optimista de explicar las cosas nos estimula a buscar el lado positivo de los contratiempos y nos ayuda a minimizar el impacto de las desgracias, alimenta en nosotros la sensación de que controlamos nuestra vida, nos protege de la infravaloración de nosotros mismos, del desánimo y del sentimiento de indefensión. Y ante circunstancias favorables, nos mueve a aceptar con confianza la buena fortuna y a apropiarnos de nuestros éxitos como algo que nos merecemos.

EXPECTATIVAS

«Ya sé yo que cada vez que bebo cualquier cosa me ocurre algo interesante —se dijo Alicia a sí misma—, vamos a ver lo que me pasa con este frasco. Ojalá vuelva a crecer, porque estoy harta de ser tan chiquita.
¡Vaya si la hizo crecer! No había apurado ni la mitad del frasco cuando Alicia notó que su cabeza tocaba el techo y tuvo que inclinarla para no romperse el cuello».

LEWIS CARROLL,
Alicia en el país de las maravillas, 1865

Hace un par de años, en una tarde muy tormentosa del otoño neoyorquino, caminando a casa desde la universidad me encontré con una larga cola de esperanzados jugadores que aguardaban en la calle su turno para comprar un billete de lotería de la multimillonaria *megaloto*. Soportaban una lluvia torrencial salpicada de rayos y truenos delante de la pequeña tienda de la calle 35. Por curiosidad, me acerqué a una pareja que esperaba al final de la cola, divertidos y empapados bajo un diminuto paraguas, y les pregunté amablemente si sabían que la probabilidad estadística de que les tocara el gordo era menor que la de que les cayera un rayo. Aunque un tanto sorprendidos por mi pregunta, los dos me respondieron al unísono sonrientes que «en teoría, sí», pero no les preocupaba porque se sentían mucho más cerca del golpe de buena suerte que de la chispa eléctrica. Imagino que el antropólogo Lionel Tiger captó este comportamiento cuando dijo aquello de que «calcular con optimismo las probabilidades es una tendencia humana tan básica como buscar comida cuando se tiene hambre».

Los optimistas son personas que esperan que les vayan bien las cosas y se predisponen a ello. Los pesimistas son personas que esperan que les vayan mal e, igualmente, se predisponen a ello. Por ejemplo, si una persona confía en que conseguirá lo que se propone, probablemente lo intentará. Por el contrario, si sospecha el fracaso, lo más probable es que no lo intente. La duda puede incapacitarnos para llevar a cabo cualquier tarea que nos hayamos propuesto.

El filósofo español Julián Marías considera que la esperanza de felicidad futura es mucho más importante que la dicha en el presente. En su libro *La felicidad humana* (1987) señala que llevamos bien el estar mal hoy si pensamos que mañana vamos a estar bien. Por el contrario, aunque nos sintamos bien, si creemos que mañana nos vamos a sentir mal, dejamos de sentirnos bien. Según él, cuando decimos «soy feliz», lo que realmente queremos decir es «voy a ser feliz». Para Marías nuestra dicha es más que nada una espera, una ilusión. La felicidad está conectada a la expectativa de que nuestros proyectos —la relación con una persona, un trabajo o un viaje— nos van a causar alegría o dicha. Este pensador ahonda en la importancia de la esperanza cuando sugiere que las personas no sólo son lo que reflejan los hechos de sus biografías sino lo que reflejan sus expectativas y sus sueños.

Existen dos categorías de esperanza, una es general y la otra específica. La primera abarca las expectativas globales que albergamos del futuro, las cuales están basadas en creencias o valores que tenemos sobre la vida. Por ejemplo, el significado que le damos a la existencia, el destino que prevemos para la humanidad, o el grado de fe que tenemos en que la maldad, las injusticias o las enfermedades que nos afligen no tendrán la última palabra.

Esta visión esperanzadora general es con frecuencia el resultado de genuinas convicciones positivas. Unas veces se trata de creencias pertenecientes al reino de la religión o de la filosofía, otras brotan de la ciencia o del mundo tangible puramente humano. Por ejemplo, la creencia en un «más allá», independientemente de su lógica, es una forma de esperanza general que ayuda a mucha gente a tolerar situaciones penosas. No obstante, la esperanza también puede nutrirse de la fe en valores humanos como la paz, la justicia, la libertad o la bondad; o configurarse de ideas o fantasías pertenecientes a nuestro propio mundo interior. También es verdad que la esperanza no está reñida con la aceptación de nuestra irremediable caducidad. De hecho, la creencia en que la vida supone una única oportunidad empuja a muchas personas a luchar con un tesón especial con el fin de superar los inconvenientes que se cruzan en su camino, y las estimula a apreciar con satisfacción y agradecimiento los deleites cotidianos.

Las expectativas positivas del futuro nos ayudan a mantenernos seguros y confiados en nuestro ir y venir. Casi todos nos emparejamos con la ilusión de que la relación feliz perdurará, elegimos una ocupación con la esperanza de que nos gratificará, y viajamos porque pensamos que llegaremos seguros a nuestros destinos.

La esperanza específica tiene que ver con la ilusión por alcanzar un determinado objetivo, o de conseguir metas concretas. Por ejemplo, la expectativa de lograr un trabajo para el que nos hemos preparado, o de solucionar un conflicto con la pareja gracias a una intervención que nos proponemos llevar a cabo, o de dejar de fumar una vez que hemos tomado la decisión. Esta esperanza fomenta la disposición a creer que las metas que uno se fija se pueden alcanzar si invertimos la energía necesaria. Naturalmente, las personas que en el pasado han alcanzado sus objetivos con esfuerzo y planificación tienden a ser más optimistas cuando se plantean metas nuevas.

La capacidad para planificar el camino a recorrer hasta lograr lo que nos proponemos requiere identificar la meta y los pasos para conseguirla. Exige también cierta flexibilidad: «Si no lo puedo hacer de esta forma, buscaré otra alternativa». Los optimistas transforman, sus anhelos en desafíos y confían en su capacidad para superar las barreras que se interponen en su camino. Esta forma concreta de esperanza se alimenta de la seguridad en uno mismo.

Investigadores como Albert Bandura, profesor de la Universidad de Stanford, y su colega de la Universidad de Kansas, C. R. Snyder, han relacionado los pensamientos esperanzadores con la inclinación a creer que encontraremos el camino que nos lleva a nuestros objetivos, y contaremos con la motivación para alcanzarlos. En 1986 Bandura bautizó con el nombre de *autoeficacia* la convicción de que poseemos la capacidad para ejecutar las acciones necesarias para lograr lo que deseamos. Diez años más tarde, C. R. Snyder demostró en varios experimentos que el nivel de esperanza de las personas para lograr metas concretas consistía en la suma de la confianza en su fuerza de voluntad y la certidumbre de que poseían la habilidad suficiente para identificar los pasos necesarios. Según Snyder, la fuerza de voluntad y las expectativas favorables configuran la determinación que nos impulsa a perseguir lo que deseamos y a mantener nuestro esfuerzo para conseguirlo. Esta determinación fomenta pensamientos como «yo puedo», «lo intentaré», «estoy preparado para hacerlo» o «tengo todo lo que necesito para lograrlo».

Se podría decir que una buena ración de propósito, diligencia y motivación nos ayuda a resolver situaciones difíciles. Como nos advierten los refranes universales «cada gusto cuesta un susto» o «lo que mucho vale, mucho cuesta». Porque lo realmente valioso rara vez se consigue sin esfuerzo o riesgo. El ensayista estadounidense Henry Thoreau apuntó en este sentido al afirmar: «Si construyes castillos en el aire, tu trabajo no es en balde, es ahí donde deben construirse los castillos. Ahora, trabaja y construye los cimientos para que se sostengan».

Los individuos de talante optimista mantienen una visión positiva del futuro de la humanidad, tienden a considerar posible lo que desean, y esperan lograr las metas que se proponen. Suelen coincidir en afirmaciones como «en tiempos de incertidumbre, por lo general espero lo mejor», «casi siempre me ilusiono cuando pienso en lo que me depara el porvenir», «en general anticipo que me ocurrirán más cosas buenas que malas». Los pesimistas, sin embargo, son propensos a comulgar con declaraciones como «si puedo fallar en algo, estoy seguro de que fallaré», «casi nunca creo en buenos finales» o «nunca cuento con que las cosas me salgan como yo quiero». Otros derrotistas adoptan posturas más despegadas como «la mejor forma de no defraudarse es no esperar nada bueno».

La perspectiva optimista del mañana amortigua nuestros desengaños en el presente y hace más llevaderas las decepciones que nos impone la vida. Un estudio realizado por el profesor Mark D. Litt, de la Universidad de Connecticut, sobre la infertilidad ilustra este punto. Como saben, la infertilidad es un problema que causa profunda desdicha a muchas parejas que anhelan tener hijos. En este estudio los investigadores midieron el grado de esperanza de un amplio grupo de parejas infértiles ocho semanas antes de un intento de fecundación *in vitro* (uniendo los espermatozoides con el óvulo en un tubo de ensayo en el laboratorio). Dos semanas después de que estas parejas fuesen informadas del resultado negativo de la prueba, analizaron el grado de angustia y desmoralización que sentían. Los resultados demostraron que cuanto más esperanzados eran los participantes antes de la prueba, menos deprimidos y desalentados se sentían después de la mala noticia. La actitud esperanzadora nos ayuda a desdramatizar las adversidades sin quitarles su verdadera importancia, y al mismo tiempo nos impulsa a probar de nuevo y a luchar por superarlas.

La esperanza más útil es la que nos mantiene conscientes de los riesgos reales, y motivados para vencerlos. Porque ante circunstancias peligrosas que requieren una acción por nuestra parte, las expectativas vanas pueden inmovilizarnos e impedir que busquemos las soluciones. En este sentido, la perspectiva optimista más provechosa en situaciones de riesgo es la que nos induce a esperar lo mejor y a prepararnos para lo peor.

* * *

Como vemos, el optimismo no es un simple rasgo temperamental, sino que consiste en un conglomerado de elementos que forman nuestra personalidad y configuran nuestra forma de vernos a nosotros mismos y de valorar los sucesos que vivimos. Estos ingredientes colorean nuestra visión del mundo y de nuestro destino. El termómetro del optimismo analiza las reminiscencias del pasado o nuestra autobiografía, nuestro estilo de explicar o interpretar los sucesos positivos y negativos que nos afectan en el presente, y nuestra perspectiva del futuro en general y de las probabilidades de conseguir los objetivos específicos que nos proponemos. Con esto no quiero decir que estas tres áreas basadas en el tiempo estén compartimentadas y no se conecten en nuestra mente. Todos somos conscientes de la íntima relación que existe entre nuestra visión del pasado, nuestro estado de ánimo presente y nuestra perspectiva del mañana.

En el capítulo que sigue analizaré las semillas biológicas, psicológicas y sociales que determinan nuestro grado de inclinación al optimismo. Concretamente, examinaré el impacto de los genes, el desarrollo de la personalidad y la influencia de los valores culturales de la sociedad en que vivimos sobre nuestra forma de ver e interpretar las vicisitudes de la vida.

5
Forjadores
del talante

«El secreto de la humanidad está en el vínculo entre personas y sucesos. Las personas ocasionan los sucesos y los sucesos forman a las personas».

RALPH W. EMERSON,
La conducta de la vida, 1860

Nuestro equipaje genético

> «Yo soy optimista por naturaleza, porque soy bajo de estatura. La gente baja tiende a ser optimista porque sólo puede ver la parte de la botella que está llena y no llega a ver la parte vacía...».
>
> Thomas L. Friedman,
> *Optimista preocupado*, 2003

El temperamento humano es bastante estable. A pesar de los avatares de la vida, las opiniones positivas o negativas que se forman las personas de sí mismas y de las cosas del entorno, aunque con algunas variaciones, por lo general tienden a mantenerse relativamente firmes a partir de los 15 o 16 años. Esta constancia del carácter ha dado pie a que algunos piensen que no podemos influir mucho sobre nuestros niveles de optimismo o pesimismo, algo así como si se tratara de la altura o el color de los ojos.

Todos portamos los genes en los núcleos de las células de nuestro cuerpo. Concretamente, los guardamos en los cuarenta y seis cromosomas que se forman al unirse los veintitrés cromosomas del espermatozoide paterno y del óvulo materno. Los cromosomas son partículas diminutas que tienen forma de pequeños hilos cruzados y contienen los treinta y tantos mil genes, compuestos de ácido desoxirribonucleico o ADN, que dirigen la confección y funcionamiento de nuestro ser.

A pesar de los enormes avances logrados en genética desde que se descifró el genoma humano en el año 2000, la realidad es que todavía no conocemos bien los procesos que conectan los genes con los rasgos de la personalidad. Pero no hay duda de que el ADN influye en el desarrollo del cerebro y, por lo tanto, en las facultades mentales y en nuestra forma de ser y de ver la vida.

El poder de los genes sobre nuestra personalidad se muestra con claridad en los mellizos. Que yo sepa, hay solamente tres estudios sobre la genética del optimismo y el pesimismo, todos publicados en los últimos quince años. Uno, realizado por el profesor de Psicología de la Universidad de Minnesota, David Lykken, utilizó cuatro mil parejas de mellizos para estudiar la propensión de las personas a gozar de las cosas buenas de la vida o a descorazonarse ante las adversidades. En otra investigación, el psicólogo experimental del King's College de Londres, Robert Plomin, analizó la perspectiva optimista y pesimista de casi trescientas parejas de gemelos, por medio del cuestionario, ampliamente validado, conocido como *Prueba de orientación en la vida*. Este cuestionario contiene una extensa lista de preguntas que exploran el grado de conformidad o disconformidad de los participantes con declaraciones como «siempre veo el futuro con optimismo» o «raramente cuento con que me pasarán cosas buenas». El tercer estudio, llevado a cabo por Peter Schulman, psicólogo de la Universidad de Pensilvania, comparó en parejas de mellizos el estilo optimista o pesimista de explicar los avatares de la vida.

En conjunto, los resultados de estas tres investigaciones demuestran que los gemelos monocigóticos —que poseen exactamente los mismos genes porque surgen de la misma célula original o cigoto— se parecen estadísticamente en su disposición optimista o pesimista. Este mismo parecido se mantiene incluso entre los gemelos que crecen separados desde su nacimiento, en hogares diferentes. Por el contrario, los niveles de optimismo o pesimismo en hermanos mellizos bicigóticos o genéticamente desiguales, aunque sean del mismo sexo y hayan crecido en el mismo hogar familiar, son tan distintos entre ellos como los de personas sin ningún parentesco o elegidas al azar.

Un dato interesante en el que también coinciden estos estudios es que el equipaje genético juega un papel más determinante en el pesimismo de la persona que en el optimismo. Desde un punto de vista estadístico, aproximadamente el 40 por ciento del pesimismo parece estar controlado por factores genéticos, mientras que sólo el 25 por ciento del optimismo depende de los genes heredados. De estas cifras se deduce que el entorno en el que crecemos, las experiencias que tenemos y nuestro aprendizaje tienen un mayor impacto sobre nuestro nivel de optimismo que de pesimismo. Este dato, en la práctica, implica que, en general, resulta más eficaz invertir en estrategias dirigidas a aumentar nuestra visión positiva de las cosas que en medidas destinadas a cambiar nuestras creencias pesimistas.

Además de estos estudios específicos, una forma indirecta de entender las posibles conexiones entre nuestro material genético y el talante positivo o negativo es examinando ciertas enfermedades del estado de ánimo que tienen un componente hereditario importante, como el trastorno bipolar. Esta dolencia mental se caracteriza por periodos de profunda tristeza y abatimiento entre los que se intercalan periodos de excitación y vehemencia incontroladas. Durante las fases depresivas estos pacientes enfocan casi exclusivamente las connotaciones negativas de las cosas, miran el futuro con desesperanza, y llegan a pensar que la vida no merece la pena. Por el contrario, durante las fases de manía o exaltación eufórica —lo que pudiéramos llamar «optimismo patológico»— se sienten exultantes y expansivos, hasta el punto de llevar a cabo impulsivamente todo tipo de excesos y actos de riesgo. Con un tratamiento médico adecuado, estos enfermos rescatan el equilibrio emocional y el raciocinio. En parejas de gemelos idénticos o monocigóticos, si uno sufre trastorno bipolar, su hermano tiene aproximadamente el 65 por ciento de probabilidades de padecerlo también, mientras que entre los gemelos diferentes o bicigóticos la concordancia es sólo alrededor del 12 por ciento. Estudios de niños adoptados después de nacer también confirman la influencia del factor genético en este trastorno afectivo, pues su riesgo de padecerlo es más parecido al de sus padres biológicos que al de los padres adoptivos.

En el verano de 2003, un grupo de científicos del Reino Unido y de Estados Unidos, encabezados por los doctores Avshalom Caspi y Terrie Moffitt, investigó la posibilidad de que factores genéticos explicaran por qué algunas personas se deprimen en respuesta a las adversidades de la vida —como los malos tratos en el hogar, la muerte de un familiar, el desempleo inesperado, o las enfermedades graves— mientras que otras salen de estos reveses relativamente ilesas. En el estudio participaron

voluntariamente 847 personas de Nueva Zelanda durante veintiséis años consecutivos. Los resultados indicaron
que el 43 por ciento de los participantes que poseían la
versión corta de un gen implicado en el transporte de serotonina en el cerebro se deprimía ante situaciones de
estrés. Sin embargo, sólo el 17 por ciento del grupo que
portaba la versión larga del mismo gen reaccionaba con
depresión ante las mismas desgracias. Este interesante
estudio ilustra la influencia relativa de los genes sobre
nuestra resistencia a deprimirnos como consecuencia de
los infortunios de la vida.

Vemos, pues, que los genes desempeñan un papel importante en el desarrollo de nuestro temperamento. No
obstante, no es prudente minimizar la influencia del
ambiente en que nos desarrollamos ni apartar nuestra
atención de las circunstancias bajo nuestro control que
influyen en la conformación de nuestro talante. El crecimiento del cerebro humano, cuyo tamaño se cuadriplica
desde que nacemos hasta que maduramos, depende en
gran parte de los estímulos del entorno, en especial durante los primeros quince años de la vida. Por ejemplo,
está ampliamente demostrado que personas que heredan
una fuerte predisposición a la depresión, en condiciones
familiares y sociales favorables viven vidas largas y felices sin el menor indicio de melancolía. Paralelamente,
hay individuos que vienen al mundo con un gran potencial para desarrollar un carácter optimista y, sin embargo, están impregnados de actitudes pesimistas, sencillamente por haberse criado en un medio opresivo,
inseguro y hostil.

De hecho, cuanto más se analiza el genoma humano, más vulnerables parecen los genes a la influencia del
ambiente y del aprendizaje. La capacidad de aprender

está inscrita en nosotros por genes que se especializan en esta aptitud, pero lo que aprendemos depende de las situaciones y experiencias que vivimos. En el caso del lenguaje, por ejemplo, los recién nacidos llegan al mundo con el potencial genético para aprender a hablar. Sin embargo, si un niño no se expone al lenguaje hablado durante los primeros seis años de su vida, nunca logrará hablar con completa fluidez.

No nos debemos dejar seducir por el canto de los genes. La tendencia a ver la botella medio llena o medio vacía depende menos de una herencia inalterable y más de una personalidad moldeable. Las personas son con mucha más frecuencia motivadas por sus actitudes que por sus instintos.

EL DESARROLLO DEL CARÁCTER

«Tú perseveraste en el empeño. Eso fue lo que te trajo la buena suerte, le dijo el instructor de piano a la niña al darle el lazo verde de la buena suerte. Desde entonces, siempre que tocaba el piano, la pequeña llevaba puesto el lazo verde, porque le recordaba que era su propio esfuerzo lo que le traía la buena suerte».

ELIZABETH KODA-CALLAN,
El lazo de la suerte, 1990

El carácter es el conjunto de atributos o rasgos que componen y distinguen la personalidad o manera de ser del individuo. Se manifiesta en la forma habitual de sentir, de pensar y de comportarse, en los gustos y en las aversiones. El desarrollo del carácter comienza en el útero materno. Todos los bebés poseen unas tendencias instintivas vitales que se muestran al nacer en su actividad física, en su placidez, su curiosidad, y su sensibilidad a los estímulos internos y externos. En la misma sala de maternidad vemos recién nacidos confiados y tranquilos, y otros que nada más llegar al mundo se muestran inquietos e irritables. Estas cualidades están influidas por factores hereditarios, fuertes corrientes hormonales que se producen durante el embarazo y las vicisitudes del parto. Es algo innato.

Pequeños que se enfrentan a situaciones idénticas reaccionan de formas muy distintas. El primer día de colegio o el primer viaje en la montaña rusa son acontecimientos gratos o estimulantes para unos niños, y aterradores o estresantes para otros. Es razonable sospechar que el motivo de las distintas respuestas emocionales a estímulos similares se debe en parte a que sus cerebros captan y procesan la información de formas diferentes.

Ya hace dos milenios y medio se reconocía el aspecto biológico de la personalidad. El concepto más popular fue el propuesto por el médico griego Hipócrates de Cos. Según él, el temperamento se revelaba en los primeros meses de vida y era el resultado de la mezcla de los cuatro líquidos del cuerpo: la sangre, la flema, la bilis amarilla y la bilis negra. Las personas efusivas y eufóricas tenían un exceso de sangre en el cuerpo, por lo que se solía decir que eran de «temperamento sanguíneo». En el polo opuesto se situaban los melancólicos, en los que predominaba la bilis negra. La bilis amarilla fomentaba la personalidad irritable y la flema el talante «flemático», parsimonioso o cachazudo.

A los pocos días de nacer, las criaturas ya se relacionan activamente con el medio. Las imágenes, las caricias y, sobre todo, las palabras acompañadas de contacto visual y afecto forjan la organización cerebral de los niños. La cara de la madre, sus sonrisas y sus diversas expresiones faciales constituyen una fuente de fascinación para todos los pequeños y estimulan en ellos la conexión emocional con los demás, algo imprescindible para la maduración saludable de los cimientos del pensamiento y las emociones.

Los niños son actores sociales por derecho propio. Su estado de ánimo, su apariencia física y sus talentos tienen un impacto en las personas de su entorno. Está demostrado que las criaturas que manifiestan continuamente actitudes y emociones positivas tienen más posibilidades de ser correspondidas de la misma manera. Lo mismo ocurre con los niños que se muestran disgustados o distantes. Las respuestas favorables o desfavorables que los pequeños provocan en los demás durante el proceso de desarrollo contribuyen a configurar su opinión sobre sí mismos y el mundo que les rodea. Además, los niños imitan e incorporan a su carácter rasgos que observan en las personas importantes de su entorno inmediato.

Un componente fundamental del carácter es la autoestima o la valoración que hacemos de nosotros mismos. La autoestima empieza a desarrollarse durante los primeros dieciocho meses de la vida. Al principio se nutre sobre todo del amor materno y del sentido de seguridad. A medida que los niños crecen se va configurando por las experiencias que viven, por la valoración que hacen de ellas y el mérito o demérito que se asignan. El aprecio de las personas del entorno y la sensación de que controlan su cuerpo y los elementos que les rodean fomentan en ellos la confianza en sí mismos. La autoestima más beneficiosa es la que se construye de pequeños y frecuentes logros y de la ilusión hacia objetivos alcanzables.

Una buena autoestima estimula emociones positivas y nos protege de las negativas. Sin una opinión positiva de uno mismo no es fácil desarrollar una disposición optimista. Es verdad que hay individuos que, pese a gozar de buena autoestima, tienen una visión negativa de la vida. Pero, en general, las personas que se valoran favorablemente se inclinan a ver el mundo a través de un cristal más positivo que quienes se sienten insatisfechos consigo mismos.

A partir de los dos años y medio, los niños empiezan a configurar el sentido del pasado y a almacenar poco a poco los recuerdos que constituirán el sedimento de su memoria autobiográfica, un ingrediente esencial de su futura disposición al optimismo o al pesimismo. Recordar el ayer es una forma importante de confeccionar la identidad como seres individuales. Padres e hijos hablan de experiencias que han atravesado juntos tan pronto como los pequeños comienzan a balbucear. Y la forma en que los padres interpretan y comparten los acontecimientos pasados va a influir sobre la perspectiva que las criaturas crearán de su mundo.

Cuando adultos y niños pequeños recuerdan en voz alta, son los adultos quienes establecen la estructura y el contenido de la conversación. En el ejemplo que seguidamente presento, obtenido de una grabación realizada como parte de un estudio sobre la comunicación en el ámbito familiar, una madre y su hijo de tres años hablan sobre un viaje en coche que hicieron para visitar a los abuelos del pequeño:

Madre: ¿Te acuerdas de cuando Antoñito (*nombre del niño*), mamá y papá hicimos un viaje largo en el coche para ir a ver a los abuelos?

Niño: ¡Oh! (*mueve afirmativamente la cabeza*).

M.: Sí, ¿y qué vimos cuando íbamos en el coche? ¿Te acuerdas de lo que papá te enseñaba por la ventana?

N.: No sé…

M.: ¿Te acuerdas de qué bien lo pasamos? Vimos una montaña muy bonita, y nos paramos y nos quitamos los zapatos y anduvimos por las rocas…

N.: Sí… (*y sonríe*).

En este breve extracto de charla, vemos cómo el pequeño da muy poca información sobre lo que ocurrió. La madre es realmente quien cuenta toda la historia y marca su tono positivo. El niño se limita a confirmar o a repetir lo que ella dice. A partir de los cuatro años, los pequeños empiezan a participar más activamente en la conversación. A medida que los niños dominan el lenguaje, van tomando la iniciativa y coloreando los recuerdos. Más tarde, adultos y niños intercambian impresiones y detalles que enriquecen las historias. A medida que crecen, cuando hablan sobre sucesos que han vivido no sólo proporcionan información sobre los hechos y revelan aspectos de sí mismos, lo que ayuda a crear vínculos con sus interlocutores, sino que al recordar y explicar sus experiencias modulan su visión de sí mismos y del entorno y van construyendo su autobiografía.

Numerosas investigaciones apuntan a que desde los seis años, las niñas, comparadas con los niños, recuerdan con más frecuencia hechos pasados, y la información que evocan suele ser más emotiva, íntima y detallada. Según Robyn Fivush, especialista en este tema de la Universidad de Emory, Atlanta, una posible explicación es que, en general, las mujeres son más verbales y comunicativas que los varones. Otro dato interesante es que tanto el padre como la madre, cuando rememoran algún suceso con las hijas, cuentan más pormenores sobre sus propias experiencias pasadas y expresan más emociones que cuando lo hacen con los hijos.

En cuanto al estilo de explicar las cosas, medio centenar de estudios analizados por Christopher Peterson, profesor de Psicología de la Universidad de Michigan, indican que las explicaciones que elaboran la mayoría de los pequeños menores de 12 años sintonizan con la forma de explicar de sus progenitores, sobre todo si éstos son percibidos por los pequeños como personas competentes. Los niños que escuchan a sus padres dar asiduamente explicaciones positivas de los sucesos tienden a incorporar estilos positivos de interpretar las vicisitudes de sus vidas.

Igualmente, los juicios que los padres, cuidadores o educadores emiten sobre la conducta de los pequeños moldean el talante de las criaturas. Explicaciones positivas globales de sus logros —«te ha salido bien el dibujo porque eres una niña muy creativa»—, o interpretaciones limitadas de sus fracasos —«no te ha salido este dibujo tan bien como te gustaría porque ahora estás cansada»— fomentan la inclinación al pensamiento positivo.

La semilla de la esperanza también se siembra durante los primeros años del desarrollo del carácter. El simple hecho de que el llanto atraiga automáticamente la atención de un adulto responsable es suficiente para fomentar en los pequeños la idea de que la satisfacción de ciertas necesidades está a su alcance y depende de ellos mismos. De hecho, casi todas las criaturas de dos años que han sido cuidadas por adultos alegres y atentos ya evidencian claros signos de esperanza ante las contrariedades. Con el tiempo, estos niños tienden a adoptar pensamientos esperanzadores tales como «sé lo que tengo que hacer para lograr las metas que me propongo» o «si me encontrara en un aprieto estoy seguro de que se me ocurriría la forma de salir de él». El talante esperanzado crece estimulado por las experiencias infantiles que alimentan en los pequeños sentimientos de seguridad, certidumbre, tranquilidad y, sobre todo, la sensación de que controlan razonablemente sus circunstancias. La necesidad de sentir que uno gobierna su programa de vida es algo profundamente arraigado en los seres humanos y es una pieza fundamental del equilibrio mental.

La disposición optimista suele coexistir con otros atributos del carácter. Así, existe una asociación estrecha del optimismo con la extraversión o la tendencia de la persona a ser afable y a comunicar sus sentimientos a los demás. El pesimismo suele coincidir con lo contrario: la introversión y la cautela social. Las personas optimistas también tienden a describirse a sí mismas como más agradecidas que las pesimistas. En un experimento, descrito por el autor Gregg Easterbrook en su reciente libro *La paradoja del progreso*, un amplio grupo de chicos y chicas universitarios mantuvo durante varias semanas un «diario de agradecimientos» en el que anotaban cada vez que sentían gratitud. Los resultados revelaron que cuanto más optimista era el estudiante, mayor era el número de situaciones en las que se había sentido agradecido a otros, a Dios o a la vida en general. Resulta curioso que los participantes más propensos al agradecimiento eran también los que puntuaron más alto a la hora de medir la capacidad para percibir las dificultades y los contratiempos en sus vidas.

Otro rasgo del carácter que suele acompañar al optimismo con mayor frecuencia que al pesimismo es la capacidad de perdonar. Resistirse a perdonar fallos graves, traiciones, rechazos y crueldades, tanto propios como de los demás, es una respuesta humana muy normal. De hecho, si preguntamos a nuestro alrededor, bastante gente mantiene una lista de transgresiones incompatibles con el perdón. Sin embargo, hay personas que perdonan con más facilidad que otras. El psicólogo estadounidense Michael E. McCullough reveló en una serie de estudios que, ante los mismos agravios o ultrajes, cuanto más optimista es la persona, mayor es su inclinación a perdonar.

Hoy por hoy no existe evidencia alguna que indique que los niveles globales de optimismo de hombres y mujeres sean diferentes. Tampoco la edad influye en la disposición positiva de las personas. Es cierto que los adolescentes son a menudo sacudidos por fuertes cambios de humor, y también que en las décadas finales de la vida, la energía y la agudeza de las facultades mentales y físicas decaen. No obstante, la edad no es una variable estadísticamente útil a la hora de catalogar el talante de la persona. Como tampoco lo es la inteligencia.

Lo mismo que un alto cociente de inteligencia no garantiza una vida dichosa —todos conocemos personas con dotes intelectuales excepcionales y lamentables biografías—, un elevado intelecto tampoco va necesariamente acompañado de un talante optimista. Aunque sospecho que no son pocos los sabios que se han beneficiado de algún ingrediente optimista. Precisamente, leía hace poco que Albert Einstein, quien, como tantos genios, siempre mantuvo una actitud curiosa y abierta frente a la vida y no dio nada por hecho, solía responder a la constante pregunta sobre qué cualidades personales habían contribuido más a sus logros, diciendo: «El regalo de la fantasía y la esperanza ha significado para mí mucho más que la capacidad de absorber y retener conocimiento».

Antes de dejar atrás el desarrollo de los rasgos del carácter, quiero hablar brevemente sobre el cerebro, el órgano tangible donde se imprime físicamente este proceso. Aunque la inclinación al optimismo o al pesimismo no se localiza en un punto determinado del cerebro ni se reduce a una reacción química concreta, muchas investigaciones revelan que la zona prefrontal izquierda del cerebro registra mayor actividad en los individuos optimistas que en los pesimistas. El neuropsicólogo estadounidense Richard Davidson ha demostrado, por ejemplo, que niños de diez meses que no lloran y se mantienen confiados cuando se separan de sus madres tienen más actividad en la zona prefrontral izquierda, comparados con pequeños que lloran desesperados ante esta misma situación. Asimismo, este investigador demostró que los adultos con más actividad en esa zona del cerebro expresaban más emociones positivas en situaciones agradables, y menos emociones negativas ante sucesos desagradables.

Siguiendo con esa geografía del cerebro, otro dato interesante es que las personas en las que predomina la influencia del hemisferio derecho tienden a manifestar su optimismo o pesimismo de una forma más «global», o sea, perciben el mundo, en conjunto, como un lugar acogedor o incómodo. Por el contrario, las personas en las que impera el hemisferio izquierdo, responden de forma optimista o pesimista según la valoración que hacen de los detalles de la situación concreta. Curiosamente, los dos hemisferios no siempre son coherentes. Como consecuencia, hay personas que afrontan con pleno optimismo las adversidades generales, pero ante pequeños reveses se frustran y desmoralizan.

Yo diría que éste es mi caso. Por un lado, pienso que las leyes de la naturaleza casi siempre se inclinan a nuestro favor, y estoy convencido de que la humanidad continuará evolucionando para mejor en todas sus facetas. Sin embargo, ante ciertos percances inoportunos mi primer análisis suele ser descorazonador. Por ejemplo, en varias ocasiones en las que se me bloqueó el ordenador donde escribía este libro, mi reacción inmediata fue pensar que probablemente había perdido todo el texto ya escrito y el problema no tendría solución. Como último recurso, pedía socorro a mi hijo Joseph, de 19 años, y en menos de cinco minutos lo que para mí habían sido averías irreparables, resultaron ser pequeños incidentes sin importancia.

Ahora, para entender el panorama completo de la construcción de nuestro talante examinemos el papel que ejercen las fuerzas culturales y sociales del lugar y de la época que nos ha tocado vivir.

VALORES CULTURALES

«La cultura esculpe las actitudes y comportamientos de las personas».

W. SOMERSET MAUGHAM,
El resumen, 1938

Para explicar los efectos moldeadores de la cultura sobre el temperamento del individuo creo que debo partir de una definición de cultura que nos sirva de referencia. Entiendo que la cultura de un pueblo está constituida por el conjunto de principios, creencias, símbolos, costumbres y reglas, tanto explícitas como sobreentendidas, que implantan sus miembros para asegurar su supervivencia y una convivencia ordenada y apacible.

En cierto sentido, los valores culturales son para la sociedad lo que la experiencia y la memoria son para la persona. Las pautas y mensajes culturales nos sirven de puntos de referencia desde la infancia. Nos ayudan a establecer nuestros ideales y prioridades, forman la base de nuestras normas de conducta y se reflejan en las explicaciones que damos a los sucesos que vivimos y en cómo percibimos e interpretamos el mundo en general.

Los principios culturales son transmitidos de generación en generación, y aunque cambian con el paso del tiempo y se adaptan a las nuevas necesidades y exigencias de la sociedad, tienden a ser bastante estables. Sus transmisores y divulgadores son los abuelos, los padres, los educadores, los líderes sociales, los medios de comunicación y los personajes y ritos populares que encarnan los valores de la época.

La cultura de un país establece sutil pero eficazmente la disposición positiva o negativa que se espera de las personas en las diferentes circunstancias. Ya desde pequeños tratamos de asimilar las actitudes que la sociedad considera más aceptables, aunque éstas no se correspondan con nuestros verdaderos sentimientos. En un experimento que viene al caso, descrito por el profesor de Psicología de la Universidad de Oxford, Michael Argyle, niños entre cuatro y doce años fueron expuestos a situaciones agradables y desagradables. A continuación, cada pequeño eligió el semblante que mejor reflejaba su estado de ánimo entre una amplia gama de fotografías de niños de su edad con expresiones de alegría, tristeza, enojo, sorpresa, rechazo y temor. Los resultados revelaron que cuanto mayores eran los participantes, más alta era su tendencia a seleccionar fotografías que no reflejaban su verdadera disposición emocional, pero que ellos pensaban que eran las «correctas». En entrevistas posteriores, el 57 por ciento de estos pequeños manifestó que habían ocultado sus sentimientos genuinos por miedo a ser criticados, y el 43 por ciento para no pasar vergüenza.

Ciertas sociedades fomentan una visión de la vida más positiva que otras. Una extensa recopilación de investigaciones multinacionales sobre la tasa de optimismo en la población desde 1975 a 1998, llevada a cabo por Ed Diener, profesor de Psicología Social de la Universidad de Illinois, reveló que si bien el talante optimista abunda en el mundo, los habitantes de países como Dinamarca, Suecia, Suiza, Noruega, Estados Unidos, Italia y Canadá se situaban en el extremo positivo del termómetro, seguidos de Irlanda, Francia, España, México y Argentina. En el polo pesimista se encontraban Rusia, Ucrania, Georgia, Corea del Norte, Turquía, India, Pakistán, Brasil y China. Aunque los investigadores detectaron una relación moderada entre el nivel de optimismo de la población y su renta per cápita y tasa de empleo, la conexión más significativa que encontraron fue entre el optimismo y el grado de libertad o democracia de los sistemas sociales de cada uno de los países. Su conclusión fue que los sistemas democráticos son un buen caldo de cultivo del optimismo. Por el contrario, las sociedades que prescinden de instituciones o de un ordenamiento jurídico para ejercer la autoridad, y en las que el poder se concentra en una sola persona o una minoría selecta, fomentan el derrotismo.

En otro sugestivo experimento, la psicóloga alemana Gabriele Oettingen comparó el nivel de optimismo de los atletas de Alemania del Oeste y Alemania del Este después de los Juegos Olímpicos de invierno de 1983, cuando todavía eran dos países separados. Con este fin, analizó el contenido de unas cuatrocientas declaraciones que hicieron los atletas a los periódicos una vez finalizados los juegos. Esta investigadora descubrió que a pesar de que los competidores del Oeste tenían mucho menos que celebrar —pues habían ganado sólo cuatro medallas, mientras que los del Este consiguieron veinticuatro—, sus testimonios reflejaban más optimismo. En un estudio posterior, esta misma psicóloga pudo comprobar que los alemanes del Oeste, en general, tenían niveles superiores de optimismo respecto a los habitantes del Este. En cualquier comunidad una fuente segura de pesimismo es la insatisfacción prolongada de las necesidades esenciales de libertad, seguridad y justicia.

La buena noticia es que, por vez primera en la historia, una mayoría de los pueblos vive bajo sistemas democráticos. En tiempos tan peligrosos como los actuales este hecho es particularmente reconfortante. Aunque existen claras excepciones, las democracias no suelen luchar unas contra otras, ni suelen explotar en guerras civiles. En efecto, en contra de la opinión de quienes piensan que el mundo se está convirtiendo en un lugar cada día más violento, la verdad es que los conflictos civiles y étnicos han disminuido desde principios de la década de los noventa, como demuestra un estudio exhaustivo del historiador de la Universidad de Maryland, Ted Robert Gurr. Las transiciones a los sistemas democráticos pueden ser muy violentas, como vimos en la antigua Yugoslavia o estamos viendo hoy día en Irak. Pero una vez que se estabiliza el equilibrio entre los poderes ejecutivo, legislativo y judicial, las democracias suelen impulsar los intereses de la mayoría sin sacrificar los derechos de las minorías.

Pienso que el espectacular progreso económico, social y político experimentado pacíficamente por la sociedad española en los últimos treinta años es un factor determinante a la hora de explicar el buen espíritu de los españoles. Un sondeo de Demoscopia llevado a cabo con motivo del comienzo del siglo XXI, realizado mediante entrevistas a domicilio de hombres y mujeres mayores de 18 años, señaló que seis de cada diez españoles se consideraban optimistas, y sólo uno de cada diez se confesaba pesimista. La mayoría, o el 60 por ciento, creía que la gente sería más libre y feliz en el futuro, y alrededor del 80 por ciento de los consultados vaticinaba la curación del cáncer y del sida.

El equilibrio entre los deseos que alimentan las personas y los recursos de que disponen para conseguirlos es fundamental a la hora de entender las raíces sociales del optimismo. Es un hecho reconocido que el desnivel crónico entre aspiraciones y oportunidades es una de las causas más frecuentes de frustración, desidia y derrotismo. Las sociedades que valoran y facilitan el control de sus ciudadanos sobre su propio futuro, y fomentan en ellos la idea de que si se lo proponen lograrán alcanzar sus metas, alimentan la motivación y la esperanza. En la medida en que los valores culturales coinciden con las oportunidades de las personas, éstas van a percibir los objetivos que se trazan desde una perspectiva optimista.

El nivel de optimismo es también más alto en aquellas sociedades en las que predomina el individualismo sobre el colectivismo. Es decir, en las culturas en las que las preferencias, las aspiraciones y las metas de los individuos tienen prioridad sobre las del grupo. Este dato es respaldado por varios estudios analizados con rigor hace una década por Harry Triandis, profesor de Sociología de la Universidad de Illinois.

En contextos individualistas, las decisiones fundamentales se toman en ámbitos reducidos, como en el seno familiar, en la relación de pareja o en un grupo limitado de amistades o socios, y no en los ambientes más amplios o extendidos de la sociedad. Otro aspecto de las culturas individualistas es que fomentan la creencia de que el individuo es exclusivamente responsable tanto de sus logros como de sus fracasos. Los niños que crecen en culturas individualistas aprenden pronto que ser independientes «es bueno» y depender de los demás «es malo». Una vez adultos, si se preocupan por las vicisitudes del prójimo lo hacen por vocación personal, pero no por exigencia del ambiente cultural en el que viven. En estas sociedades a menudo se considera que la gente desafortunada es responsable de sus propias desventuras, lo que justifica que la sociedad, como tal, no se preocupe ni intervenga para ayudarla. En consecuencia, las personas tienden a ajustarse a modelos de vida que les permitan controlar lo más posible sus destinos, y a invertir grandes esfuerzos en asegurarse de que los sucesos positivos superen siempre a los negativos.

En las culturas donde prima el sentido de colectividad se aprende en la infancia que cooperar con los demás y aceptar responsabilidad por el bienestar ajeno forma parte de lo que espera de ellos la sociedad. En consecuencia, las personas que viven en estas culturas tratan automáticamente de colaborar y comprometerse con la buena o mala fortuna de sus compañeros de grupo. En las sociedades colectivistas la idea de la felicidad propia por encima de todo no está tan ensalzada ni publicitada. Quizá por esta razón mantener una visión optimista meramente personal sea menos importante en estas culturas.

Edward Chang y sus colaboradores del departamento de Psicología de la Universidad de Michigan compararon la tendencia a predecir acontecimientos positivos y negativos entre estadounidenses y japoneses, dos culturas representantes del individualismo y el colectivismo respectivamente. Los resultados demostraron con claridad que los norteamericanos tenían una tendencia mucho mayor que los japoneses a augurar hechos positivos. Posteriormente, el sociólogo Y. T. Lee y el psicólogo Martin Seligman comprobaron que el tiempo que la persona vive en una cultura individualista influye en su grado de optimismo. Lee y Seligman compararon el estilo de explicar las cosas entre tres grupos: estadounidenses, chinos que habían residido durante diez o más años en EE UU, y chinos que siempre habían vivido en China. El nivel de optimismo de los estadounidenses era el más alto, seguido de los chino-americanos. Los residentes en China mostraban el nivel más bajo de optimismo.

Como demostraron hace unos años los psicólogos L. A. King y C. K. Napa, la glorificación del concepto de felicidad es tal en Estados Unidos que la mayoría de la población creyente hasta piensa que «las personas felices tienen más probabilidades de ir al cielo que las infelices». Por otra parte, la cultura de ese país ha creado y transmitido de generación en generación mitos que ensalzan la disposición optimista. El más antiguo consiste en la idea de que con optimismo se puede vencer cualquier adversidad. Esta creencia idealizada en los poderes del optimismo está personificada por Pollyanna, la joven protagonista de la novela del mismo nombre escrita en 1913 por la estadounidense Eleanor H. Porter. La figura de Pollyanna está tan imbuida en esta sociedad que hoy hasta se utiliza como adjetivo —*pollyannish*— para calificar a las personas muy optimistas.

Para los lectores que no estén familiarizados con el relato, Pollyanna era una niña de 11 años muy alegre a quien su padre, antes de morir, le había enseñado el juego de *Vamos a estar contentos*. El juego consistía en encontrar algo positivo o divertido en todas las cosas. Al fallecer su padre, se fue a vivir a un pueblecito con su tía, una soltera refunfuñona de talante amargo y derrotista. Tan pronto como Pollyanna entró por la puerta de su nuevo hogar, se dedicó sin descanso a jugar a *Vamos a estar contentos* con todo el mundo. En poco tiempo se creó una atmósfera de optimismo y buen humor que no sólo cambió el talante de su tía, sino que alivió a los enfermos, a los resentidos y a los desesperados que se cruzaban en su camino. Un día Pollyanna fue atropellada por un carruaje y se quedó paralítica. Confinada en su cama, la pequeña se entristeció por primera vez en su vida ante la desoladora perspectiva de no andar nunca más. Pero su tristeza se evaporó cuando los habitantes del pueblo la visitaron para decirle que gracias a ella todos jugaban a *Vamos a estar contentos* y, como resultado, eran mucho más felices. Inmediatamente se le iluminó la cara a Pollyanna y con una gran sonrisa exclamó: «¡Finalmente he encontrado algo para volver a ser dichosa: haber contado hasta hace poco con dos piernas, pues sin ellas no hubiera podido caminar por el pueblo y enseñaros a jugar a *Vamos a estar contentos*!».

Un peligro de la idealización cultural insensata del optimismo es que puede convertirse para muchas personas en una tiranía, y producirles un estado crónico de insatisfacción y decepción con ellos mismos. Durante mi carrera profesional en Estados Unidos he observado con frecuencia este penoso efecto secundario.

La religión es un componente importante de casi todas las culturas. Numerosas investigaciones en Europa y Estados Unidos, realizadas por expertos como Michael Argyle y David Myers, corroboran que las personas creyentes, independientemente de la lógica o racionalidad de sus convicciones, dicen sentirse más positivas hacia la vida que las que no son religiosas. Casi todas las creencias en una divinidad infunden esperanza. Los significados de la existencia humana que proporcionan los dogmas no son prueba de su validez científica, pero sí ofrecen a mucha gente creyente algo atractivo por lo que vivir y por lo que morir. La fe en una fuerza superior estimula una perspectiva más aceptable de las adversidades.

La cultura, pues, modula las actitudes de las personas. Ciertos valores promueven el pensamiento positivo y la esperanza, mientras que otros los socavan. Un dato reconfortante: si miramos hacia atrás y reflexionamos sobre los avatares de los pueblos a lo largo de los siglos, es obvio que las corrientes que fomentan el optimismo o el pesimismo van y vienen, pero, con el tiempo, las primeras predominan. Hoy hay más democracia en el mundo y se respeta más al individuo y sus libertades, cada día más gente cuestiona la eficacia de las guerras para resolver desavenencias, y a diferencia del ayer, hasta los niños se preocupan por la calidad del aire, del agua, de los bosques, de las especies animales y del medio ambiente.

*   *   *

Los humanos somos seres complejos. Como hemos visto, el temperamento se forma de múltiples elementos innatos, adquiridos y aprendidos. Fuerzas biológicas, psicológicas, sociales y culturales modelan nuestro modo particular de percibir y juzgar las cosas. Seguidamente describiré cómo los talantes más optimistas pueden ser socavados y hasta destruidos por los venenos de la indefensión y la melancolía.

6
Venenos
del optimismo

«Dios nos libre del árbol de la esperanza que no echa flores».

MARK TWAIN,
Carta a Joe Goodman, 1891

INDEFENSIÓN CRÓNICA

«El dolor, por fuerte que sea, se hace más llevadero si uno está convencido de que con el tiempo se curará. La peor calamidad es tolerable si uno cree que pasará. La angustia más penosa se alivia tan pronto como la tranquilidad está al alcance de la vista».

BRUNO BETTELHEIM,
Sobrevivir, 1976

El sentimiento duradero de indefensión tiene efectos devastadores sobre el temperamento de los seres humanos. Las personas que se sienten impotentes ante la adversidad y ven que hagan lo que hagan nada cambiará ni mejorará, con el tiempo son proclives a adoptar una disposición apática y derrotista, a «tirar la toalla» ante las presiones y los desafíos de la vida.

La conciencia prolongada de impotencia y desamparo es venenosa para el optimismo, porque alimenta los sentimientos de debilidad y fracaso, socava la autoestima, consume la iniciativa y agota la esperanza. Este estado nocivo de indefensión se produce bajo condiciones duraderas e intolerables de dolor físico, de intenso temor ante una amenaza real, o de ansiedad y angustia interior. La indefensión también puede ser consecuencia de experiencias traumáticas provocadas por desastres naturales o atrocidades humanas, y por agresiones continuas en personas incapaces de escapar de sus verdugos por razones físicas, económicas, sociales, legales o psicológicas. Estas circunstancias de acoso se dan con frecuencia en lugares de trabajo, en ciertos colegios a los que la asistencia es obligatoria y, muchas veces, en el hogar familiar.

Con respecto al dolor, es verdad que el cuerpo tiene el potencial de producirnos emociones placenteras a través de los estímulos que captan los órganos de los sentidos, o de los efectos vigorizantes de las hormonas que segregan nuestras propias glándulas, como las endorfinas. El que estemos genéticamente programados para disfrutar del sexo es, precisamente, una de las estratagemas más ingeniosas de la naturaleza para garantizar la conservación de la especie. Sin embargo, el cuerpo también puede ser una fuente de dolor insoportable. Es bien sabido que la función natural del dolor es servir de alarma para anunciar un desarreglo físico y motivar al afligido a tomar medidas para corregirlo. Pero cuando el dolor es recurrente puede convertirse en un ladrón implacable del optimismo.

Pese a que la medicina cuenta hoy con poderosos remedios analgésicos, hay dolores desgarradores indomables que consumen la ilusión del más entusiasta. Un ejemplo es la tortura de la neuralgia del nervio facial trigémino. Sólo un pequeño movimiento, un suave roce del rostro o la caricia de una brisa desatan un dolor lacerante insufrible en la cara. La vida cotidiana de estas personas se centra en los ataques de dolor repentinos y en el pánico abrumador a la próxima «puñalada» inesperada.

Esto explica la frecuente tentación de suicidio que sienten estos atormentados. Otros ejemplos de dolores despiadados son las migrañas intensas que no responden a ningún tratamiento, algunas enfermedades musculares degenerativas y los tumores que invaden los centros neurálgicos o los huesos.

Las alteraciones crónicas de la sangre —como la leucemia—, ciertas enfermedades neurológicas, los desequilibrios hormonales y las dolencias graves de los riñones o del hígado, sin ser extremadamente dolorosas, pueden destruir la energía vital, el sentido de autocontrol y la capacidad de relacionarse con los demás. Estas calamidades dañan también el estado emocional, enturbian la forma de pensar, oscurecen la visión del mundo y, al final, arrasan el optimismo del doliente.

Otro sentimiento que tiene la capacidad de envenenar el temperamento optimista es el miedo crónico. El miedo, como el dolor, es un reflejo natural indispensable para la supervivencia, pues nos permite detectar de antemano circunstancias peligrosas y protegernos. Cuando nos enfrentamos a una situación peligrosa nos invade un estado de inquietud, zozobra y agitación. El sistema reproductivo, el aparato digestivo y otros órganos se paralizan y el cerebro moviliza al cuerpo para huir o luchar.

En psiquiatría, cuando el temor no es consecuencia de una amenaza objetiva, sino que responde a un estado de angustia sin causa precisa, hablamos de ansiedad. Los estados crónicos de ansiedad constituyen otro veneno para el optimismo. Afectan a casi el 10 por ciento de la población del mundo occidental en algún momento de su vida, y aunque en la actualidad existen remedios efectivos, especialmente farmacológicos, ciertos casos son resistentes al tratamiento.

Todos conocemos personas que viven continuamente en un estado desmesurado de aprensión y de inquietud, cuyas causas no corresponden a la peligrosidad real de las circunstancias. Unos padecen fobias irracionales, otros experimentan tensión nerviosa generalizada, o son atormentados por ataques de pánico, o por trastornos obsesivo-compulsivos que los inmovilizan, pues la mente queda prisionera de ideas o impulsos incontrolables. Entre los atemorizados más indefensos destacan los hipocondríacos, que viven permanentemente angustiados, convencidos de que la menor molestia o indisposición pasajera, como un resfriado, una pequeña infección o un leve mareo, representan el principio irremediable de una enfermedad grave o incluso mortal.

Hay experiencias abrumadoras que dañan el talante más positivo. Los efectos de algunos sucesos traumáticos se entretejen inseparablemente con el funcionamiento de nuestro sistema nervioso y moldean negativamente nuestra percepción del mundo. Aunque la gama de desastres naturales, accidentes fortuitos o atrocidades humanas que pueden robarnos el optimismo es muy amplia, la indefensión provocada por la violencia humana intencional es particularmente dañina. Estas experiencias causan lo que en psiquiatría llamamos trastorno por *estrés postraumático*. Los síntomas más típicos de esta dolencia incluyen la intromisión en la mente de imágenes y recuerdos estremecedores, las pesadillas, la ansiedad y el decaimiento emocional.

Una importante investigación sobre el impacto de torturas y asesinatos motivados por conflictos políticos sobre el estado de ánimo de la población, dirigida por el holandés Joop T. Jong de la Organización Mundial de la Salud, entre 1997 y 1999, reveló que los niveles de desmoralización y desesperanza en países como Argelia, Camboya, Etiopía y Palestina, donde la población había sufrido estas agresiones, eran muy superiores a los de naciones de nivel socioeconómico y demografía similares pero que no habían experimentado estas condiciones de violencia.

Numerosos estudios confirman los efectos nocivos que tienen las experiencias de acoso o desamparo graves durante la niñez en el desarrollo del talante. El reconocido psicólogo inglés John Bowlby y otros muchos expertos en los pormenores de la infancia han demostrado que el rechazo que experimentan los niños pequeños por parte de sus cuidadores produce en ellos apatía y tristeza a largo plazo. Los ambientes familiares o escolares donde imperan la inseguridad, la desconfianza, los abusos, el miedo y la sensación de impotencia son caldo de cultivo para adultos cuyo irrevocable destino será infravalorarse como personas, percibir siempre su entorno como un lugar inhóspito, o juzgarse totalmente incapacitados para superar los avatares normales de la vida.

Si bien hay pequeños que con el tiempo superan los efectos nocivos de situaciones crueles, no son pocos los que crecen marcados por el temperamento agorerofatalista. La razón es que el sentimiento prolongado de indefensión oscurece cualquier horizonte esperanzador, y cuando estos pequeños no tienen más remedio que fabricar un sistema de explicaciones alternativas que les ayude a justificar lo que están soportando, a menudo concluyen culpándose a sí mismos. Investigaciones rigurosas llevadas a cabo en las universidades de Trier (Alemania) y de Emory (EE UU) revelan que los niños víctimas de malos tratos continuados durante la infancia tienen el cuádruple de probabilidades de sufrir depresión y de intentar suicidarse de mayores que los pequeños que no experimentan estas penosas condiciones.

El temor excesivo y prolongado altera el sistema hipotalámico-hipofisario-adrenal, encargado de regular nuestro equilibrio vital. Esta especie de eje esencial conecta el hipotálamo —responsable de regular las emociones y las funciones básicas como la temperatura, el hambre y el dolor— con la hipófisis. Situada en la base del cráneo, esta glándula fundamental se encarga de producir, entre otras, las hormonas adrenocorticotrópicas que estimulan las glándulas suprarrenales segregadoras de las sustancias que controlan nuestra capacidad de responder al estrés y a los peligros. La aprensión o la ansiedad persistentes dañan el sistema inmunológico y alteran la actividad de ciertas sustancias transmisoras en el cerebro —en particular la serotonina y la dopamina— que son las encargadas de modular nuestro estado de ánimo y cuyo déficit nos predispone al desaliento y a la desesperación. Con el tiempo esa mezcla explosiva pero silenciosa de miedo e impotencia extingue nuestra esperanza y arruina paulatinamente nuestra vida.

Es evidente que cuanto más incapaces nos sentimos de controlar las aflicciones de nuestro cuerpo, las perturbaciones de nuestra mente, y las embestidas del entorno, más espacio dejamos abierto para que la impotencia y la desesperanza nos invadan y conmocionen los cimientos de nuestro talante optimista. Con todo, la intensidad del impacto no es la misma en todos nosotros. El grado de indefensión que envenena mortalmente el optimismo en unos, inflige un daño limitado y pasajero en otros. ¿Cómo se explica tal disparidad? Según vimos en el capítulo anterior, la fortaleza y la energía de nuestro talante se forjan en una fábrica muy compleja compuesta de elementos genéticos, caracterológicos y culturales que varían de persona a persona. Por otra parte, no todas las víctimas del dolor, del miedo, de la ansiedad, de la violencia o del acoso reciben los mismos cuidados médicos y psicológicos, ni el mismo grado de apoyo social.

Un hecho que nadie cuestiona es que casi todos los seres humanos nacemos con la aptitud de producir un antídoto natural de la indefensión. Este contraveneno se compone del sentido de seguridad, de la confianza, de la esperanza y de las demás cualidades positivas del carácter, todas la cuales se desarrollan normalmente durante los primeros diez o doce años de la vida. De ahí la importancia de eliminar los impedimentos que interfieren con la formación de estos atributos, como el abandono, los malos tratos físicos, la crueldad mental y la explotación sexual.

PESIMISMO MALIGNO

«Para quienes han vivido en el bosque oscuro de la depresión y han conocido su inexplicable agonía, la salida del abismo es como el ascenso trabajoso del poeta que finalmente surge de las profundidades desgarradoras del infierno y entra en un mundo reluciente. Recuperar la capacidad de sentir serenidad y alegría es suficiente indemnización por haber soportado la desesperación más allá de la desesperación».

WILLIAM STYRON,
La oscuridad visible, 1990

El peor veneno del optimismo es la depresión. Muchos hemos experimentado alguna vez lo que es estar melancólicos, y somos conscientes de la capacidad de esta dolencia para corromper nuestras vidas. La depresión destroza las raíces del optimismo, daña profundamente la autoestima y la confianza en uno mismo, impregna de negatividad y de remordimientos la perspectiva del ayer, y roba la esperanza en el mañana.

Resulta verdaderamente conmovedor observar el daño que causa este padecimiento en la disposición y la perspectiva de la vida de las personas. Si bien la mayoría de los individuos pesimistas no sufre depresión, todos los deprimidos son pesimistas acérrimos, con independencia de lo optimistas que fuesen antes de ser atacados por este mal. En consecuencia, pienso que merece la pena analizar con cierto detalle esta devastadora dolencia.

Hoy por hoy los estados depresivos no se pueden medir como medimos la tensión arterial, las descargas eléctricas del corazón o el nivel de colesterol en la sangre. La mejor forma de saber si una persona está deprimida o no es sencillamente preguntando, escuchando y observando.

Existen diferentes grados de depresión. Desde estados de desaliento o falta de ánimo leves y transitorios hasta cuadros profundos y duraderos de invalidez y desesperación. La distinción entre el sentimiento «normal» y pasajero de melancolía y los efectos de una depresión que requiere tratamiento nos plantea con frecuencia un desafío. Por esta razón, al llegar a un diagnóstico oficial de depresión mayor se requieren un cambio perceptible en el talante de la persona y la presencia continuada y evidente de cinco o más síntomas durante un periodo mínimo de dos semanas.

La depresión se manifiesta en un incidente aislado o en episodios recurrentes. En este último caso, cuando todos los episodios son de carácter depresivo se conoce en psiquiatría como depresión unipolar. El trastorno bipolar, que ya he mencionado al referirme a nuestro equipaje genético, consiste en un estado de depresión profunda que es seguido por un periodo de euforia y de comportamientos expansivos y exagerados que no se corresponden con la realidad.

A veces es fácil asociar el desánimo con traumas concretos, como por ejemplo la ruptura de una relación sentimental importante, la pérdida inesperada del trabajo o la muerte de un ser querido. Otras veces la causa se encuentra en un trastorno físico. Cualquier persona que haya sufrido hepatitis, artritis reumatoide, anemia o hipotiroidismo, sabe muy bien el decaimiento de ánimo y el profundo hastío que producen estos trastornos. No menos evidentes son los efectos depresivos de ciertos fármacos, tanto si son recetados de buena fe por doctores —como ciertos tranquilizantes, la reserpina o los esteroides— como si son sustancias consumidas por elección propia, como el alcohol o la heroína. A menudo, sin embargo, cuesta identificar en la vida de la persona el suceso concreto que justifique la tristeza. De ahí la distinción que muchos especialistas hacen entre depresión reactiva, que responde a un suceso externo, y depresión endógena que no se puede relacionar con ningún evento.

Los síntomas de la depresión se agrupan en cuatro categorías: estado de ánimo, forma de pensar, comportamiento y trastornos físicos. Cuando nos deprimimos nos sentimos tristes, desanimados, hundidos en la angustia, en la amargura y en la desmoralización. Sollozamos con facilidad, aunque a veces el estado de desesperación es tal que ni siquiera podemos llorar. Además de tristes, con frecuencia nos encontramos ansiosos, irritables e impacientes con los demás. La depresión hace que perdamos el sentido del humor, la capacidad de sonreír y el interés en tareas y relaciones que hasta entonces nos resultaban placenteras.

Los estados depresivos también alteran nuestra forma de pensar. Por ejemplo, nos cuesta concentrarnos. Al mismo tiempo, nos sobran argumentos para convencernos y tratar de convencer a otros de que cualquier éxito es realmente un fracaso, y cualquier contratiempo es devastador e irreversible. Las perspectivas de uno mismo, del mundo que nos rodea y del futuro se ensombrecen hasta el punto de no ver ningún sentido a la vida e incluso desear estar muertos. La depresión hace que mantengamos opiniones muy desfavorables de nosotros mismos y seamos extremadamente críticos con nuestros fallos y defectos, por insignificantes que sean. Nos sentimos indignos de afecto, nos juzgamos culpables de cualquier desgracia, real o imaginaria, y hasta llegamos a considerarnos merecedores de nuestra desdicha.

La depresión suele ir acompañada de síntomas físicos. Los más frecuentes son la carencia de energía, los trastornos de alimentación, bien sea la pérdida del apetito o la sobrealimentación compulsiva, el cansancio, los dolores generalizados sin causa aparente, la pérdida de interés en las relaciones sexuales y el insomnio o el sueño excesivo. A menudo las mañanas son más duras que las tardes. De hecho, el amanecer se convierte para muchos afligidos en un espectáculo desolador.

En cuanto al comportamiento, el síntoma principal de la depresión es la falta de motivación para llevar a cabo las tareas cotidianas, incluidas las más básicas como comer o asearse. Se pierde interés en todo, excepto en rumiar desprecio hacia uno mismo y autocríticas mordaces. La depresión también mina la sensación de controlar razonablemente el día a día, socava la aptitud para adaptarse a los cambios y consume el vigor que se necesita para superar los retos cotidianos. Al carecer de esperanza, los afligidos se desmoralizan, desconfían del futuro y tienden a decir «¡no!» a las oportunidades que se les presentan, por favorables que sean.

La melancolía también obstaculiza seriamente la comunicación y las relaciones con otras personas. Los deprimidos son incapaces de extraer placer de la compañía de los seres queridos, por lo que se aíslan y, al irradiar amargura y agotamiento, los demás se distancian de ellos. La depresión destruye la habilidad para divertirse, distraerse y disfrutar de los deleites simples que hacen la vida agradable. Asimismo imposibilita la gratificación que producen las ocupaciones y las actividades de ocio. En definitiva, la melancolía apaga todos los escenarios en los que las personas experimentan los momentos más satisfactorios en la vida.

Los casos de depresión en los países de Occidente —donde más se ha estudiado esta dolencia— son muy frecuentes. Según Edwin H. Cassem, profesor de Psiquiatría de la Universidad de Harvard, un 48 por ciento de la población sufre por lo menos un episodio de depresión a lo largo de su vida. Otro dato cierto es que en las naciones industrializadas la incidencia o el número de casos ha aumentado sin cesar desde 1910. Y por razones que se desconocen, el índice de incremento registró una subida muy abrupta entre las personas nacidas después de 1940. Concretamente entre ese año y 1992 los casos se multiplicaron por diez.

Un hecho que ha influido en la proliferación de la depresión es que su diagnóstico es cada día más preciso, no sólo por parte de los especialistas sino por los médicos de familia, por los peritos de la psicología y hasta por los propios afligidos, sus familiares y amigos. Otro factor que contribuye a su mayor frecuencia es que en los últimos veinte años la depresión ha empezado a ser aceptada por la gente como una enfermedad más. Su impacto social es menos humillante y los afectados tienden a buscar ayuda profesional más abiertamente que antes. Recordemos que hasta hace poco la mera alusión a haber visitado a un psiquiatra se interpretaba como una prueba incuestionable de locura o, cuando menos, un signo de debilidad de carácter o de fracaso personal. Hoy la ayuda psicológica no marca tanto.

La aparición y rápida divulgación en los últimos años de medicamentos antidepresivos muy potentes y de pocos efectos secundarios, conocidos como inhibidores selectivos de la recaptación de la serotonina o ISRS, que aumentan la liberación de esta sustancia en el cerebro (fluoxetina, o Prozac, fue el primero), también ha servido de incentivo para que las personas deprimidas busquen ayuda. Respaldados por enormes campañas publicitarias internacionales, se calcula que estos fármacos son consumidos en la actualidad por unos treinta y cinco millones de personas en todo el mundo.

Hoy sabemos que la melancolía es independiente de la edad de la persona, pero hasta hace unos veinte años se pensaba que los niños no se deprimían. La verdad es que a los seis y siete años ya pueden ser atormentados por este mal. En las criaturas, sin embargo, la depresión no se expresa tanto con tristeza como a través de problemas de comportamiento. Por ejemplo, los pequeños que se deprimen dejan de jugar, quedan afectados por cosas sin importancia, se vuelven muy irritables, tienen dificultad para concentrarse, y suelen tener problemas de conducta en el colegio. En jóvenes, la depresión cada día se diagnostica con mayor frecuencia. Hace menos de un siglo no había adolescencia, se pasaba de la infancia a la edad adulta a los siete u ocho años, después de adquirir el uso de razón como por arte de magia. Hoy se reconoce que los adolescentes atraviesan un *puente* enigmático y excitante que pueden tardar en cruzar una docena de años. Los jóvenes crecen ahora con más derechos, más libertad, más conocimiento y más idealismo, pero también con más conciencia de la incongruencia entre sus aspiraciones y las oportunidades a su alcance para conseguirlas, lo que a menudo provoca en ellos desmoralización y hastío.

El suicidio es la secuela más amarga del pesimismo maligno. Desde el amanecer de la civilización hasta nuestros días, un interminable hilo conductor de desesperanza, autodesprecio, cansancio, soledad y resentimiento une a quienes, venciendo el instinto primario de conservación y el miedo a la muerte, se quitan la vida antes de llegar al fin natural de su existencia. Aunque algunas fantasías suicidas dejan entrever la aspiración de los atormentados a un más allá mejor, para la mayoría la decisión de terminar con su vida es una confesión de fracaso amortajada con racionalizaciones fatalistas. Para los pesimistas que están al filo de la autodestrucción, los argumentos más razonables en contra de la muerte parecen triviales, absurdos.

Según la Organización Mundial de la Salud, en el año 2000 se suicidaron 815.000 personas en el mundo, o 2.232 personas al día. Por cada persona que se inmoló, veinte lo intentaron sin éxito. En ese mismo año, el suicidio terminó con casi tantas vidas como todas las guerras y todos los homicidios juntos. No obstante, el suicidio está rodeado de una espesa nube de tabú y a menudo se esconde o se disimula, por lo que los datos oficiales no suelen reflejar toda la magnitud del problema.

Incluso cuando la autodestrucción no forma parte del curso de la depresión, las personas deprimidas suelen morir tempranamente. Este hecho se debe, en parte, a que las personas desesperanzadas se alimentan peor, se cuidan menos, sufren más accidentes, fuman más y consumen más alcohol que las esperanzadas. Hasta cuando tratan de mejorar su dieta, eliminar el cigarrillo o dejar la botella tienen más probabilidades de fracasar en el intento. Por ello, no debe sorprender que la tasa de mortalidad general de las personas melancólicas de cualquier edad sea el doble que la de la población general, incluso si no se tienen en cuenta el suicidio, la alimentación, el consumo de tabaco y otros factores de riesgo de mala salud. La razón es que la depresión, por sí misma, contribuye a las enfermedades cardíacas, al producir cambios en el tono del sistema nervioso autonómico y alteraciones en el funcionamiento de las plaquetas.

El pesimismo maligno resulta muy caro para la sociedad. Un estudio internacional reciente, analizado por el profesor de Psiquiatría de la Universidad de Colorado, Steven Dubovsky, señala que el coste público de la depresión es astronómico. Sólo en Estados Unidos, se calcula que la factura anual que pasa esta enfermedad alcanza los 42.000 millones de euros, cantidad que engloba los gastos del tratamiento, las consecuencias económicas de las incapacidades y las muertes prematuras que provoca.

Desafortunadamente aún no se ha descubierto el antídoto perfecto de la depresión. Esto no quiere decir que no podamos protegernos. La mejor forma de defendernos es descubrir lo antes posible sus signos premonitorios y tomar inmediatamente medidas curativas. La detección temprana y el tratamiento precoz de las depresiones agudas pueden ahorrar a los pacientes meses de pesimismo maligno y salvar muchas vidas.

Se calcula que por lo menos una cuarta parte de los afectados de depresión mayor no recibe tratamiento. Por definición, la persona deprimida carece de motivación para buscar ayuda. Y los familiares no son a menudo conscientes de que el decaimiento de ánimo es un trastorno curable. En el caso de las personas mayores, es común pensar que el apagamiento emocional es «normal» en la vejez. Cuando se trata de niños y jóvenes, la tendencia es negar la posibilidad de que se puedan deprimir o achacar su decaimiento a los «dolores normales del crecimiento».

Cuando el paciente somatiza su melancolía o expresa su dolor emocional a través de síntomas físicos, la negación del problema psicológico es aún más probable, pues tanto los afligidos como el sistema sanitario siempre tienden a abordar las averías del cuerpo mucho antes que las del alma. El estigma social que todavía marca a los enfermos mentales también supone un gran obstáculo, que se interpone entre el doliente y el tratamiento.

Hoy la medicina y la psicología disponen de armas terapéuticas muy potentes y eficaces contra la depresión. En los últimos quince años los tratamientos farmacológicos han avanzado espectacularmente. En general, los estudios sobre los resultados de los remedios farmacológicos muestran que dos de cada tres enfermos responden favorablemente a la medicación antidepresiva. Alrededor del 10 por ciento de los pacientes, sin embargo, necesitará tratamiento durante toda la vida.

Otra buena noticia es que la mayoría de los pacientes se beneficia de la psicoterapia, sobre todo en combinación con fármacos antidepresivos. Una intervención eficaz es la que se conoce como psicoterapia interpersonal.

Propuesta por el psiquiatra de la Universidad de Harvard, Gerald Klerman, y la epidemióloga de la Universidad de Columbia, Myrna Weissman, esta psicoterapia no suele exceder de dieciséis sesiones. Se enfoca hacia al presente, concretamente en la autoestima del paciente y en sus relaciones con otras personas. Otra modalidad de psicoterapia de efectividad comprobada es la concebida por el especialista de la Universidad de Pensilvania, Aaron Beck. Esta intervención consiste en ayudar al paciente deprimido a cambiar las distorsiones negativas de su percepción del mundo, las generalizaciones desesperanzadas y demás pensamientos desfavorables típicos de los estados melancólicos. Con todo, como cada víctima de pesimismo maligno es diferente, la mejor estrategia es adaptar el tratamiento a la persona, y no la persona al tratamiento.

* * *

Desde que nacemos hasta que morimos todos somos vulnerables a los efectos nocivos de la indefensión despiadada y del pesimismo maligno. Pero todos también podemos tomar medidas para contrarrestar el impacto dañino de estos venenos del optimismo. Podemos reforzar los ingredientes optimistas que nos ayudan a percatarnos y a disfrutar de lo bueno que ofrece la vida, y a protegernos de los golpes bajos que nos debilitan y nos compelen a rendirnos o claudicar.

Gracias a la natural capacidad de aprender es posible moldear razonablemente la manera de ser. La tarea no es fácil. Requiere, en primer lugar, la observación puntual y el cuestionamiento valiente de nuestros propios sentimientos, pensamientos, mecanismos de defensa, explicaciones, excusas y racionalizaciones. El paso siguiente consiste en identificar los cambios que queremos y podemos hacer, y a continuación llevarlos a la práctica. Este trabajo exige esfuerzo, tiempo y una ración generosa de entusiasmo, autodisciplina y paciencia.

A través de los años he podido comprobar que las técnicas o estrategias que promueven el optimismo suelen ser, en general, más eficaces que las que tratan de reducir el pesimismo, excepto en el caso ya argumentado de personas enfermas de depresión, en las que está indicado un tratamiento especializado. Es posible que la mayor dificultad para alterar los rasgos pesimistas del carácter se deba a que los genes desempeñan un papel más determinante en su formación. Como veremos a continuación, el talante optimista se potencia de dos formas: alimentando estados emocionales gratificantes en el día a día, y fomentando estilos positivos de pensar y de enjuiciar las cosas que nos afectan.

7
Ejercer
de optimista realista

«Entender las ideas que os propongo a continuación es sencillo, pero llevarlas a la práctica no lo es. Os aviso para que no os ocurra como al buen hombre que, a los pocos días de gastarse sus ahorros en comprar un piano, se quejaba descorazonado: "¡Eso de tocar el piano no funciona, yo lo he tocado con mis manos muchas veces y no suena a nada!"».

PAUL WATZLAWICK,
El lenguaje del cambio, 1978

Cultivar estados de ánimo positivos

> «Quienes dejan de fijarse en el polvo que la criada no ha limpiado, en las patatas que la cocinera no ha cocinado, o en el hollín que el deshollinador no ha deshollinado… notarán que la vida es mucho más agradable que cuando se sentían constantemente preocupados o irritados por estas cosas».
>
> Bertrand Russell,
> *La conquista de la felicidad*, 1930

En los últimos cincuenta años, gracias al mejor conocimiento que tenemos sobre el funcionamiento del cerebro y los procesos que regulan la toma de decisiones de las personas, se ha llegado a la conclusión de que los sentimientos desempeñan un papel fundamental en la forma de pensar y de interpretar el mundo. Determinados centros cerebrales —por ejemplo, el hipotálamo y la amígdala—, que están encargados de elaborar y modular las emociones, estimulan a su vez las neuronas especializadas en razonar. Como resultado, existe una coherencia entre lo que sentimos y lo que pensamos.

Quienes logran mantener en general un estado de ánimo moderadamente alegre tienen altas probabilidades de tener una disposición optimista. Está demostrado que un estado de ánimo positivo estimula recuerdos placenteros y bloquea las memorias desagradables. Por el contrario, las personas que se sienten tristes tienden a evocar preferentemente experiencias negativas y a olvidar las positivas. En cuanto a la visión del futuro, los individuos alegres se inclinan a predecir hechos favorables y a considerar que serán beneficiados por ellos, mientras que las personas desalentadas tienen una alta propensión a augurar infortunios y a anticipar que serán víctimas de ellos. Esto ocurre incluso en individuos a quienes se induce artificialmente a sentirse alegres o tristes antes de preguntarles su opinión sobre el futuro.

Es evidente que no tenemos control sobre la miríada de factores que influyen en nuestro estado de ánimo; desde el equipaje genético hasta la personalidad, pasando por la salud física y mental, las condiciones del medio o los sucesos inesperados que nos afectan. Pero no es menos cierto que podemos alimentar nuestras emociones positivas y programar situaciones que las favorezcan.

El filósofo español José Antonio Marina no hace mucho me corroboró en persona el optimismo que emana de su obra. En su interesante ensayo *El laberinto sentimental*, Marina sugiere que para reformar nuestra personalidad afectiva, con el fin de disfrutar más de la vida, es necesario añadir sentimientos esperanzadores que, sin menoscabar la razón y la prudencia, permitan «hacer del náufrago un navegante».

Lo que voy a sugerir a continuación es bastante obvio, pero lo hago porque al igual que Paul Watzlawick nos advierte en la cita del principio, yo también sé por experiencia que las ideas más sencillas y útiles a menudo se nos escapan en la vorágine cotidiana, y cuando las evocamos con intención de llevarlas a cabo nos damos cuenta de que no son nada fáciles de practicar. Cualquier trabajo que realicemos para cultivar emociones positivas implica identificar y fomentar las situaciones bajo nuestro control que nos producen sentimientos de satisfacción, y tratar de eliminar, o al menos reducir, aquellas que nos entristecen. En este sentido, la evidencia acumulada apunta consistentemente a los beneficios de concentrar nuestros esfuerzos en ciertas áreas bastante universales, empezando por las relaciones con otras personas.

Numerosas investigaciones respaldan la noción de que los individuos emparejados o que forman parte de un hogar familiar, de un círculo de amistades o de un grupo solidario con el que se identifican, se consideran más satisfechos emocionalmente que quienes viven solos, aislados o carecen de una red social de apoyo emocional. Intercambiar emociones y pensamientos, dar y recibir afecto, y aceptar y ser aceptados por los demás son actividades que estimulan estados de ánimo positivos.

No me canso de resaltar los beneficios emocionales que nos aporta hablar. Gracias a los vínculos que existen entre las palabras y las emociones, hablar no sólo nos permite desahogarnos y liberarnos de las cosas que nos preocupan, sino experimentar los sentimientos placenteros que acompañan a la comunicación entre personas queridas. De hecho, evocar, ordenar y verbalizar nuestros pensamientos en un ambiente acogedor es siempre una actividad gratificante. Por eso, somos muchos —aunque no lo digamos— los hombres y las mujeres que cuando no contamos con interlocutores humanos hablamos al perro, al gato, al pajarito, o a la planta que viven en casa. Y no pocos nos sentimos mejor cuando hablamos con nosotros mismos, eso sí, en alto.

Las ocupaciones o actividades que nos estimulan física o intelectualmente, que nos permiten practicar y desarrollar nuestras aptitudes y talentos, y que exigen un grado moderado de esfuerzo inducen sentimientos gratos de utilidad y competencia. En general, invertir energía en perseguir objetivos alcanzables es una estrategia más eficaz que trabajar para evadir desenlaces negativos. Por ejemplo, la persona que para evitar ser rechazada por los demás se empeña en aislarse y huir de las actividades sociales, paga un alto precio por meterse en su trinchera y, a la larga, empeora su situación. Sin embargo, si esta persona logra enfrentarse a las dificultades que le supone relacionarse con otros, casi siempre se verá recompensada, aunque sólo sea por haberlo intentado.

A medida que se prolonga la duración de la vida y que la tecnología permite reducir el número de horas laborables, la calidad del tiempo libre se revaloriza y su influencia sobre el estado de ánimo se hace más significativa. Hoy existe un abanico interminable de ofertas para avivar las emociones positivas durante el tiempo de ocio. Una buena fórmula es adoptar una dieta regular de pequeñas actividades refrescantes, reunirnos con amigos, disfrutar de una comida sabrosa o una música grata, pasear por el parque, hacer deporte o salir de excursión. Y no olvidemos el poder explosivo del humor. Su función primordial es actuar de purgante y liberarnos de sentimientos negativos.

Un estudio reciente sobre actividades diarias placenteras, llevado a cabo por el psicólogo y economista Daniel Kahneman, y una provocativa encuesta de la revista *Time* coinciden en que, al menos en Estados Unidos, las actividades más populares para mejorar el estado de ánimo son las siguientes: hablar con amigos o familiares, escuchar música, rezar o meditar, ayudar a otros, darse un baño o una ducha, jugar con un animal doméstico, hacer ejercicio, comer, darse una vuelta en el coche y tener relaciones sexuales. Entre las madres que trabajan fuera de casa, algo tan sencillo como ver a solas un programa de televisión entretenido es una manera más agradable de pasar el tiempo que salir de compras, cocinar o cuidar de los hijos.

Las pequeñas cosas agradables que nos ocurren en la vida cotidiana tienen una marcada influencia sobre nuestras emociones, actitudes y conductas. Por ejemplo, hechos sencillos como encontrarnos inesperadamente una moneda en el depósito del cambio de un teléfono público, ver unos minutos de una película de risa, recibir un ramo de flores u otro pequeño regalo, o enterarnos de que hemos ejecutado bien una tarea, son suficientes para aumentar nuestro nivel de optimismo. Esos momentos de alegría moderada tienen además un impacto importante en las decisiones que tomamos, en la creatividad que empleamos para resolver problemas, en la memoria, en la capacidad para aprender, en la motivación para embarcarnos en un nuevo proyecto y en la forma de relacionarnos con los demás.

Como contraste, lo que nos puede dar una felicidad intensa y repentina no mejora necesariamente nuestra disposición a ver las cosas de forma positiva. Por ejemplo, estados emocionales de gran euforia o júbilo producidos por sustancias estimulantes o por acontecimientos extraordinarios interrumpen el ritmo del funcionamiento cerebral y requieren ajustes mentales importantes en la persona. Por ello, desde el punto de vista de estimular la disposición optimista que promueva la sociabilidad, facilite la toma de decisiones y la solución creativa de problemas en el día a día, quizá sea más beneficioso encontrarse cinco euros en la calle que ganar cinco millones en la lotería.

Para mantener un espíritu vital es importante vivir inmersos en la laboriosidad. En los últimos veinticinco años se ha confirmado repetidamente que los hombres y las mujeres que ejercitan con regularidad las funciones del cuerpo y las facultades del alma —la memoria, el entendimiento y la voluntad— tienden a disfrutar de un estado de ánimo más positivo que quienes no practican estas capacidades. La evidencia científica de los efectos positivos y placenteros de la actividad física y mental en nuestro estado de ánimo es sin duda convincente. El ejercicio físico regular no sólo nos permite resistir mejor las contrariedades que pueden minar nuestro entusiasmo, sino que aumenta la producción de endorfinas, las hormonas que ejercen efectos agradables, y además favorece la calidad de nuestro reposo.

Las personas que se prestan desinteresadamente a ayudar a los demás, aunque no sea más de una hora a la semana, comparadas con quienes no ofrecen ningún tipo de ayuda desinteresada, sufren menos de ansiedad, duermen mejor y son más proclives a mantener una perspectiva más favorable de la vida. *Voluntariar* —un verbo que no existe todavía en las lenguas románicas pero sí en las germánicas, como el inglés— es bueno para el estado de ánimo. Siempre me gusta recordar la receta de la escritora francesa Simone de Beauvoir para nutrir nuestro entusiasmo: «Dedicarnos a otras personas, a grupos o a causas, y vivir una vida de entrega y de proyectos». Ayudar a los demás también es ayudarse a sí mismo. El bien común nos favorece a todos.

En la actualidad, las actividades espirituales, incluyendo la meditación, los rezos, los cánticos religiosos y los ritos místicos en grupo, gozan de gran popularidad como fuente de emociones positivas. De hecho, en los últimos cinco años, con la clara y curiosa excepción de los países de Europa occidental, las religiones de muy diversa denominación están en ascenso en el mundo. Como apunta la escritora inglesa Karen Armstrong en *Una historia de Dios* (1993), a pesar de la esencia fundamentalmente imaginaria y abstracta de las religiones, lo que de verdad importa es que sean prácticas. Según ella, es mucho más importante que una idea particular sobre Dios funcione y cumpla su objetivo a que sea lógica o racional. También es cierto que mucha gente disfruta construyendo su propia espiritualidad sin dioses ni anhelos de eternidad. Sus voces internas de esperanza se alimentan de ideales positivos como el amor, la justicia, la libertad o la creatividad. Tampoco faltan quienes se regocijan conectándose con algún aspecto del universo, como la salida o puesta de sol, o la brisa del mar.

Finalmente, para fomentar nuestro optimismo o, por lo menos, para proteger el que ya tenemos, resulta muy eficaz diversificar nuestras fuentes de satisfacción y compartimentarlas. Las personas que desempeñan a gusto varias actividades diferentes e independientes disfrutan más de la vida en general y soportan mejor los contratiempos. Esto es, una ocupación estimulante puede amortiguar el golpe de un fracaso familiar. Lo mismo que los inversores reparten su capital en diversos negocios, es bueno diversificar las parcelas de satisfacción en nuestra vida.

Havelock Ellis: «El lugar donde más florece el optimismo es en los asilos de lunáticos».

Albert Einstein: «Pues yo preferiría ser un optimista loco que un pesimista cuerdo».

ALICE CALAPRICE,
Las citas de Einstein, 1996

El segundo método eficaz para estimular el talante optimista consiste en adoptar un estilo de pensar positivo. Para ello, lo primero que tenemos que hacer es «pensar en cómo pensamos». Con esto quiero decir que hay que analizar, cuestionar y valorar la sensatez, las ventajas y los inconvenientes de los juicios espontáneos que emitimos sobre nosotros mismos, nuestros semejantes, los sucesos que nos afectan, sobre las probabilidades futuras de conseguir lo que deseamos y, en definitiva, sobre la vida en general.

El paso siguiente consiste en tratar de moldear nuestra forma de pensar para que sea lo más provechosa, favorable y sensata posible. Nuestra tarea, como ya apuntaba William James hace casi un siglo, consiste en adoptar y practicar la nueva forma de pensar, aunque al principio lo hagamos de un modo premeditado o «artificial». A la pregunta de «¿qué puede hacer la persona que se siente desdichada y está encerrada en sí misma?», Bertrand Russell contestó: «Si su perturbación se debe, por ejemplo, a la sensación de culpa por haber pecado, debe comenzar por convencer a su cerebro consciente de que no hay razón alguna para creerse persona pecadora. También es importante que esta persona se acostumbre a creer que la vida seguirá valiendo la pena».

A continuación, ilustraré los aspectos problemáticos más frecuentes de nuestra forma de pensar en situaciones concretas, y también haré algunos comentarios sobre los efectos perjudiciales de las creencias o suposiciones equivocadas más extendidas.

Todas las personas elaboramos pensamientos automáticos que resumen la evaluación que hacemos de una situación determinada. La intuición y el presentimiento son herramientas muy importantes para ayudarnos a decidir. Sin ellas los seres humanos tendríamos gran dificultad para enjuiciar muchas circunstancias, especialmente las más inciertas. Recuerdo a Roger, por ejemplo, un joven abogado de 29 años. Este hombre, de aspecto taciturno, se quejaba de que se sentía desmoralizado porque llevaba mucho tiempo intentando encontrar un trabajo. Mientras repasábamos paso a paso su búsqueda de colocación, Roger cayó en la cuenta de que desde la primera vez que vio una oferta interesante en la sección de empleos de un diario, siempre que percibía una oportunidad laboral le venía a la mente el siguiente presentimiento reflejo: «Para qué llamar, pensarán que no tengo nada que ofrecer». Después de reflexionar un rato ambos coincidimos en que semejante presagio era absurdo y paralizante. A los pocos días, Roger comenzó a acudir a agencias de empleo y después de varias semanas encontró un trabajo. Las probabilidades de acertar la quiniela son bajísimas, pero si no jugamos, son nulas.

La historia de Ana —37 años, una médica muy competente y respetada en su especialidad, segura de sí misma y atractiva— ilustra también cómo ciertos pensamientos que brotan de manera inmediata nos juegan una mala pasada. Durante mucho tiempo Ana había albergado la ilusión de formar una familia pero, al mismo tiempo, no podía evitar sentirse profundamente pesimista con respecto a sus posibilidades de tener una relación sentimental estable. Cuando le pedí que me explicara sus sentimientos, me respondió: «Estoy convencida de que nunca encontraré pareja, porque ningún hombre está dispuesto a convivir con una mujer tan fuerte ni con tanta personalidad como yo». Poco después, añadió con contundencia: «¡Simplemente, los asusto!» Cuando le pedí un ejemplo, Ana me confió que hacía poco tiempo había conocido en un acto social a un hombre que, de primeras, le había caído muy bien. Tras un par de horas de charla amigable, él dejó caer con sutileza que se sentía muy bien con ella y le gustaba su manera de ser. Ana instintivamente pensó: «Realmente lo único que busca es una relación sexual superficial; si me conociese mejor se sentiría amenazado y echaría a correr». A los pocos minutos, sintió un impulso irresistible de huir, se inventó una urgencia, se disculpó y desapareció apresuradamente sin dejar rastro. Después de recapacitar juntos sobre quién realmente había asustado a quién, llegamos a la conclusión de que quien se había sentido amenazada fue ella y no a la inversa, como apuntaba erróneamente su teoría. El argumento que Ana utilizaba para justificar su visión negativa y agorera de las perspectivas de forjar una relación, aparte de cuestionable, era tan tajante y global que incluso en una situación prometedora, como la del ejemplo, no permitía la más mínima consideración o el menor margen de esperanza.

Paul Watzlawick, profesor de Psicología de la Universidad de Stanford, describe con ironía en *El arte de amargarse la vida* las consecuencias negativas de esta forma pesimista de pensar que practican inconscientemente algunas personas. En este ejemplo, Watzlawick aborda la perspectiva del pasado: «Casi todos podemos conseguir ver el ayer a través de un filtro que sólo deje pasar la luz de lo bueno y lo bello. Y si este truco no funciona, podemos recordar nuestra niñez como una época de la que no echamos de menos ni un solo día. En cambio, los aspirantes a la vida amarga ven únicamente lo penoso del pasado, o valoran su juventud como una edad de oro perdida para siempre, lo que se convierte en una fuente inagotable de nostalgia y de aflicción».

Otra faceta de nuestra forma de pensar es el estilo que utilizamos para explicar los sucesos que nos afectan. El modelo desarrollado por Martin Seligman que describí en el capítulo sobre los ingredientes del optimismo es muy útil. Seligman analizaba la *permanencia* o duración del impacto de los sucesos, la *penetrabilidad* o extensión que le asignamos a sus efectos, y la *personalización* o grado de responsabilidad personal que estamos dispuestos a asumir por lo ocurrido. Ahora, a modo de ilustración, consideremos la explicación que Antonio da a la explosión de enfado de la esposa porque al llegar a casa cansada del trabajo debe afrontar un disgusto de poca importancia: «Isabel es la persona de peor humor del mundo». Tal valoración es ciertamente más pesimista y demoledora que una explicación menos global como por ejemplo: «Isabel está hoy más enfadada que nunca». Si por el contrario es el marido quien pierde los papeles y hace un comentario hostil sobre ella, la explicación de Isabel «todos los hombres son abusones y en el fondo odian a las mujeres» es menos útil a la hora de tratar de entender, abordar y zanjar una agresión verbal por parte de Antonio, un hombre concreto, que «Antonio está actuando de una forma injusta y machista».

Ante situaciones afortunadas, ciertas explicaciones estimulan la autoestima más que otras. Por ejemplo, «me seleccionaron para el equipo de rugby porque soy un buen atleta», es más reconfortante que «me eligieron para jugar porque soy muy corpulento». Por la misma razón, la explicación de «nos salvamos del accidente porque soy un buen conductor y tengo buenos reflejos» es más positiva que «¡no nos matamos de milagro!».

A la hora de juzgar las circunstancias que nos afectan, son preferibles las explicaciones que minimizan el impacto de los infortunios o facilitan comparaciones ventajosas entre lo sucedido a nosotros y a los demás. En otoño de 2004, por ejemplo, los vecinos de la ciudad de Pensacola, en la costa de Florida, retornaron a sus casas desde los refugios después de que amainara el devastador huracán *Iván*, y se encontraron con sótanos inundados, tejados destrozados, árboles arrancados de cuajo, y postes de la luz por los suelos. Pese a este panorama de desolación, muchos se consolaban con el antiguo axioma de «podría haber sido peor». El diario *The New York Times* citaba incluso las palabras de una niña de diez años a su madre al ver su casa convertida en una gran pila de escombros: «Mamá, lo hemos perdido todo, pero ¡tenemos la suerte de estar vivas!». Meses más tarde ejemplos como éste se multiplicaban entre los supervivientes del apocalíptico maremoto que arrasó las costas de una docena de países del sur de Asia, en las Navidades de 2004.

En un sentido parecido, el psiquiatra Viktor E. Frankl, nacido en Viena en 1905, sugirió que para superar la adversidad es muy útil encontrarle algún aspecto positivo. Para ilustrar su consejo relató la siguiente anécdota: «En una ocasión, un viejo médico me consultó sobre la fuerte depresión que padecía. No podía sobreponerse a la pérdida de su esposa que había muerto hacía dos años y a quien él había amado por encima de todas las cosas. En vez de decirle nada le hice la siguiente pregunta: «¿Qué habría sucedido, doctor, si usted hubiese muerto primero y su esposa le hubiese sobrevivido?». «Oh», respondió, «Para ella hubiera sido terrible, habría sufrido muchísimo». A lo que le repliqué: «Lo ve, doctor, usted le ha ahorrado a su esposa todo ese sufrimiento, pero ahora tiene que pagar por ello sobreviviendo y llorando su muerte». En otro ejemplo, Frankl, quien estuvo internado un par de años en varios campos de concentración nazi durante la Segunda Guerra Mundial, nos cuenta su experiencia cuando fue transportado a la estación de Auschwitz, donde se realizaba la primera selección de los detenidos que irían a trabajar y los que serían eliminados inmediatamente en los hornos crematorios: «Como el hombre que se ahoga y se agarra a una paja, mi innato optimismo, que tantas veces me había ayudado a controlar mis sentimientos en las situaciones más desesperadas, se aferró a este pensamiento positivo: algunos prisioneros tienen buen aspecto, parecen estar de buen humor, incluso se ríen, ¿quién sabe? Tal vez consiga compartir su favorable posición, y viva para contarlo».

Hay posturas antioptimistas generales que, en el fondo, reflejan miedo a las consecuencias de una visión positiva. Basta citar estas frases muy comunes: «Si me dejo llevar por el optimismo seguro que me desilusiono», «Pensar positivo es engañarse a uno mismo», o «El optimismo es peligroso porque te ciega y no te deja ver la realidad». Quienes las adoptan tienen tendencia a distorsionar negativamente los hechos para evitar que éstos apoyen la premisa de que el optimismo es bueno. Son individuos que se centran prioritariamente en los fallos o los defectos de las cosas, y pasan por alto los aspectos positivos de cualquier situación. Por ejemplo, cuando son evaluados en el trabajo sólo se fijan en los comentarios negativos del jefe e ignoran o niegan los positivos. Algo similar ocurre cuando se empeñan en menoscabar una situación favorable con una coletilla desfavorable: «Pues sí, soy competente en mi trabajo, pero de qué me sirve si a mi familia no le interesa». Las lecturas negativas del pensamiento de otros, tanto si son imaginarias como equivocadas, también fomentan la amargura y el desaliento: «Yo sé que estará pensando que soy una idiota», o «Mi novia me va a dejar, lo sé», a pesar de que la otra persona no dio indicación alguna de lo que pensaba. Otra distorsión frecuente consiste en ver las cosas en categorías drásticas de «buenas» y «malas», «siempre» y «nunca», «todos» y «ninguno», sin términos medios, o en creer que todo lo que no es perfecto es un fracaso.

Un grupo de pensamientos negativos que minan la autoestima obedecen a lo que podemos llamar la *tiranía del debería*. Esto ocurre cuando la persona piensa que está absolutamente obligada a ser, a sentir o a comportarse de forma utópica, incongruente con su personalidad, incompatible con la situación o simplemente imposible de realizar para cualquier ser humano. Los ejemplos abundan: «Debería estar siempre de buen humor», «Nunca debería impacientarme», «Debería tener quince o veinte amigos íntimos», «A mis 60 años y con un triple *bypass* debería subir corriendo por las escaleras al noveno piso sin ahogarme». Estas expectativas irracionales e inalcanzables suelen nutrir sentimientos de fracaso, de culpa, de desmoralización e, incluso, de odio hacia uno mismo. Atención: el optimismo no se escapa de la *tiranía del debería*. No son pocos los pacientes profundamente deprimidos que se han recriminado sin piedad en mi presencia tras lamentarse de esta forma: «Debería estar sonriente cuando me levanto por las mañanas y le doy los buenos días a mi mujer», «Debería organizar un baile en mi casa para celebrar la promoción de mi hijo», o cosas por el estilo.

Si entramos en un contexto más general, hay tres supuestos pesimistas, tan antiguos como populares, que a menudo sirven de base justificativa de esa visión deprimente y fatalista del mundo y sus ocupantes. Ya he tratado este punto en obras anteriores. No obstante, confieso que no pasan muchos días sin que me encuentre a alguna persona estancada en el derrotismo a causa de estas nefastas e irreales quimeras.

Una es la creencia de que los mortales somos seres malévolos por naturaleza. Esta idea explica el que tanta gente se asombre o exprese incredulidad ante noticias de gestos abnegados o altruistas. También explica los intentos que hacen tantos críticos sociales para buscar motivos interesados o en estas conductas bondadosas. El siguiente comentario de Paul Watzlawick viene al caso: «Para atizar la duda sobre el desinterés y la pureza de intenciones de quien ayuda a un semejante basta preguntarse ¿lo hace para impresionar?, ¿para causar admiración?, ¿para obligar al otro a estar agradecido?, ¿para acallar sus propios remordimientos de conciencia?... el poder del pensamiento negativo casi no tiene fronteras, pues el que busca encuentra. El pesimista busca por todos lados el talón de Aquiles y descubre que el honrado bombero es de hecho un pirómano inhibido; que el valiente soldado da rienda suelta a sus impulsos suicidas inconscientes o a sus instintos homicidas; que el policía se dedica a perseguir criminales para no volverse él mismo un criminal; que todo cirujano es un sádico disfrazado; que el ginecólogo es un *voyeur*; y que el psiquiatra quiere jugar a ser Dios. Ahí tienen, así de sencillo es desenmascarar la podredumbre de las personas».

Pese a la popularidad del «piensa mal y acertarás», cada día se acumulan más datos científicos que demuestran que los seres humanos heredamos y transmitimos la bondad a través de nuestro equipaje genético. Por otra parte, cualquiera que observe sosegadamente a sus allegados y a los miembros de la comunidad en la que vive, no tendrá más remedio que reconocer que la gran mayoría es gente pacífica, generosa y solidaria.

Una segunda generalización pesimista, igualmente descaminada, es la que afirma que la humanidad nunca ha vivido en tan pésimas condiciones y el futuro se vislumbra aún peor. Todos conocemos personas para quienes las continuas y espectaculares mejoras experimentadas en mortalidad infantil, esperanza de vida, educación, libertades individuales, derechos de las mujeres y de los niños, no hacen la más mínima mella en su visión implacable del negro destino del género humano. La realidad, sin embargo, es que si repasamos nuestra historia, resulta muy difícil negar que a pesar de sus muchos altibajos, el progreso del mundo ha sido evidente. Y en cuanto al futuro de nuestra especie, quizá con la excepción de la célebre Casandra que, dotada por Apolo del don de la profecía vaticinó acertadamente la masacre de los troyanos a manos de los griegos, todos los profetas agoreros y demás visionarios que han profetizado un final apocalíptico han desbarrado escandalosamente, desde Jeremías a Herbert Wells, pasando por san Juan, Zoroastro, Nostradamus y Thomas Malthus, por citar a un pequeño mosaico de pesimistas empecinados a quienes la historia ha puesto en evidencia.

La tercera declaración pesimista sin base científica alguna es que la humanidad es irremediablemente desdichada. Esta idea se sustenta día a día de las desgracias y calamidades que arrojan continuamente los medios de comunicación, y captan nuestra atención. En el fondo no podemos evitar sentirnos atraídos e incluso fascinados por las tragedias. Sin embargo, cientos de estudios internacionales demuestran que, en circunstancias normales y en términos globales, los hombres y las mujeres se sienten razonablemente dichosos. En los últimos quince años un grupo de especialistas europeos y estadounidenses —como Michael Argyle, Ed Diener, Ronald Inglehart, David Lykken, David Myers y Ruut Veenhoven— han examinado metódicamente el grado de dicha de las personas. Sus investigaciones han confirmado una y otra vez que entre el 70 y el 80 por ciento de los habitantes del planeta se considera contento con su vida. Su nivel de dicha es independiente de la edad, el sexo, la posición económica, la apariencia física, la ocupación, el cociente de inteligencia o la raza. Por cierto, en los últimos años —quizá como resultado de mi inolvidable experiencia con Robert en el hospital Coler Memorial— suelo concluir mis conferencias sobre la salud o el bienestar de las personas haciendo al público la siguiente propuesta. En primer lugar, les animo a que se concentren y evalúen interiormente su «satisfacción con la vida en general». Lo de «en general» es importante, pues quiero evitar que se dejen influir por alguna molestia o preocupación que les esté afligiendo en ese momento. A continuación, les pido que se imaginen una escala graduada del 0 (muy insatisfechos) al 10 (muy satisfechos). Acto seguido, les ruego que todos aquellos que se den un 5 o más alcen el brazo. Sin excepción, la levantada de brazos es contundente. Pero no menos masiva es la sorpresa que se llevan los presentes. Ya sé que no se puede descartar la posibilidad de que algunos exterioricen un nivel de satisfacción que realmente no sienten. Pese a esto, la deducción más razonable es que si una persona declara estar satisfecha es porque lo está. No he conocido a nadie feliz que no piense que lo es.

El poder seductor de estas tres generalizaciones pesimistas y erradas se basa en que sirven de justificación a mucha gente a la hora de plantarse en su opinión fatalista y de aferrarse a una visión resignada del mundo y sus residentes. Yo diría, sin embargo, que la perspectiva más provechosa y sensata de la vida no les pertenece a quienes se lamentan de la humanidad sin considerar sus atributos positivos, sino a quienes la celebran después de haber sopesado los aspectos negativos.

*   *   *

Gracias a la gran capacidad humana de razonar, de aprender y de cambiar, las personas que se lo proponen y están dispuestas a invertir su tiempo y esfuerzo en el empeño tienen la posibilidad de aumentar su predisposición natural al optimismo. Todo ello —aclarémoslo— sin perder la aptitud para distinguir entre fantasía y realidad. Ejercer de optimista realista, por un lado, consiste en promover con regularidad estados de ánimo positivos mediante estrategias destinadas a aumentar la satisfacción que extraemos de las diversas parcelas de la vida. Por otro lado, implica moldear nuestra forma de pensar con el fin de maximizar las percepciones, explicaciones y perspectivas favorables de las cosas, incluyendo la valoración del esfuerzo que uno invierte en este ejercicio.

La estrecha vinculación que existe entre nuestro estado emocional y nuestros pensamientos nos ofrece la oportunidad de fomentar la disposición optimista trabajando simultáneamente en el estado de ánimo y en la forma de pensar. De esta manera, al mismo tiempo que plasmamos nuestros sentimientos positivos en nuestras explicaciones de las cosas, también podemos modular nuestras emociones con pensamientos positivos.

El capítulo que sigue está dedicado al optimismo aplicado. Me refiero al papel que juega el talante optimista en los escenarios más importantes de la vida —las relaciones, la salud, el trabajo— y sus efectos en las actitudes y comportamientos de las personas que participan en ellos. También esbozo el impacto del optimismo en la práctica de algunas profesiones y concluyo analizando su función beneficiosa cuando nos enfrentamos a circunstancias adversas.

8
Optimismo en acción

«El optimismo es como una profecía que se cumple por sí misma. Las personas optimistas presagian que alcanzarán lo que desean, perseveran, y la gente responde bien a su entusiasmo. Esta actitud les da ventaja en el campo de la salud, del amor, del trabajo y del juego, lo que a su vez revalida su predicción optimista».

SUSAN C. VAUGHAN,
Medio vacía, medio llena, 2000

RELACIONES

«Con independencia de que sean jóvenes o viejos, hombres o mujeres, ricos o pobres, de Oriente o de Occidente, cuando se les pregunta ¿qué es lo que más les hace felices? Cuatro de cada cinco responden que sus relaciones con las personas que aman».

DAVID MYERS,
La búsqueda de la felicidad, 1992

La vida ofrece incontables situaciones en las que encontrar la dicha, pero cientos de investigaciones en todo el mundo demuestran que los individuos emparejados, o que forman parte de un hogar familiar o de un grupo íntimo de amistades, expresan un nivel de satisfacción con la vida considerablemente superior que quienes viven solos, sean solteros, viudos, separados o divorciados. El psicólogo Erich Fromm ya nos lo advirtió hace medio siglo en su obra *El arte de amar*: «El ansia de relación es el deseo más poderoso de los seres humanos, la fuerza fundamental que aglutina a la especie. La solución definitiva del problema de la existencia es la unión entre personas, la fusión con otro ser, el amor».

La familia es la institución humana más básica y resistente. Se transforma pero nunca desaparece. La familia nuclear, reducida, autónoma y migratoria, compuesta solamente de la pareja y uno o dos hijos, es cada día más frecuente. Entre los nuevos hogares en auge también se encuentran los matrimonios sin hijos, las parejas que habitan juntas sin casarse, los segundos matrimonios de divorciados que agrupan a niños de orígenes distintos, los hogares monoparentales, y las uniones homosexuales. La sociedad se inclina cada día más a reconocer la legitimidad de estas relaciones diferentes, basadas en la elección libre, en el amor y en el compromiso sellado por sus protagonistas. Al margen de su composición, el hogar familiar forma también el ambiente social más pródigo en contrastes. Por un lado, es el epicentro de la seguridad, la generosidad y la comprensión y, por el otro, el escenario donde se libran los conflictos más amargos entre las personas.

Las relaciones estables de cariño no sólo constituyen una fuente de satisfacción en la vida, sino que son además un antídoto muy eficaz contra los efectos nocivos de todo tipo de calamidades. Quienes se sienten genuinamente parte de un grupo solidario superan los obstáculos que se cruzan en su camino mucho mejor que quienes se sienten aislados sin una red social de soporte emocional. Quizá estos beneficios sean la razón por la que a lo largo de la historia, en todas las culturas los seres humanos hayan buscado sin cesar amar y ser amados.

Aunque todos nacemos con la capacidad de amar, los rasgos concretos que nos atraen de los demás y nuestra disposición hacia los vínculos de amor e intimidad los aprendemos y moldeamos de acuerdo con nuestro temperamento y con las experiencias que tenemos con otras personas durante los primeros años de la vida. A medida que crecemos configuramos nuestro propio «mapa del amor», una especie de patrón mental que determina las características de la persona que nos va a cautivar, bien de forma repentina a través de un «flechazo», o después de conocernos y tantearnos durante algún tiempo. El mapa del amor incluye aspectos físicos y psicológicos de figuras importantes que ejercieron un vivo impacto sobre nosotros durante la infancia, y se conserva en nuestra memoria autobiográfica. Esta representación mental particular nos incita inconscientemente a sentirnos atraídos por una persona determinada y no por otra. La variedad de gustos, además de minimizar las rivalidades por conseguir a una misma pareja, favorece la diversidad biológica y, por tanto, la conservación de la especie.

Como ocurre con el mapa del amor, el significado que le damos a las relaciones íntimas también se configura durante el desarrollo y está influido por las experiencias que tuvimos con nuestros padres y con otras personas importantes de nuestro medio social. Este significado particular se va a manifestar en nuestras expectativas y conductas ante la aproximación, el alejamiento o la pérdida de la pareja.

En general, las perspectivas optimistas facilitan la estabilidad mientras que las posturas derrotistas fomentan los conflictos. Como apuntan los investigadores de la Universidad de Cornell, Michael B. Sperling y William H. Berman, las personas optimistas suelen estar de acuerdo con afirmaciones como «Me resulta generalmente fácil acercarme a los demás y me siento cómodo dependiendo de ellos», o «No me incomodo cuando otros se acercan a mí, o dependen de mí». Por el contrario, cuanto más pesimista es la persona más trata de esquivar las relaciones íntimas. En este grupo los hay que usan la necesidad de independencia y autosuficiencia como excusa para tratar a toda costa de no depender de nadie o de que nadie dependa de ellos. Otros eluden las relaciones porque les resulta difícil confiar en los demás, por temor a ser rechazados, o porque la intimidad les agobia. Guardan las distancias por «miedo a sufrir» o simplemente por «no complicarse la vida». Los hay también que se quejan de que los demás no se les acercan lo suficiente, pero en la práctica son ellos mismos quienes los ahuyentan, con su exagerada necesidad de control o su ansia irresistible y prematura de total seguridad.

Las uniones de amor entre las personas están continuamente en proceso de cambio. A través del tiempo, adoptan formas diversas, dependiendo de la evolución de la personalidad de cada uno, y de los avatares de sus vidas. De hecho, el cambio de talante en un miembro de una relación, aunque sea positivo, a menudo requiere el reajuste de todos los miembros del grupo. En mi trabajo he podido constatar muchas veces cómo cuando un individuo que ha sido normalmente depresivo se convierte en una persona alegre y vitalista se produce un desequilibrio importante en sus relaciones. Si sus compañeros no logran encajar y adaptarse al nuevo balance, las relaciones se ponen en peligro.

En el caso de parejas, la primera etapa de la relación se suele caracterizar por el romance. Este estado pasional sacude temporalmente a casi todas las personas por lo menos una vez en la vida. Recientemente se han identificado sustancias específicas, como la dopamina, que estimulan ciertas áreas cerebrales y forman parte de la química del amor, de los estados pasionales de enamoramiento. Estas parejas embelesadas quedan absortas o colgadas de la nube de la reciprocidad mágica, donde poseen y son poseídas en exclusiva e incondicionalmente. En estas condiciones, los enamorados no sólo no cuestionan las necesidades o los hábitos de su media naranja, por inconvenientes o irritantes que puedan parecer a un observador objetivo, sino que afirman sentirse totalmente en perfecta armonía.

Una vez amainada la tempestad del romance, en las parejas afortunadas el estado pasional se convierte en algo más sosegado y seguro. A medida que pasa el tiempo los vínculos se refuerzan con el cariño, la lealtad, los intereses comunes y la amistad. Con esto no quiero sugerir que no sea importante el atractivo sexual, sino que esta pasión disminuye su intensidad. No obstante, la expresión física de amor regular es casi una garantía de continuidad de cualquier relación de pareja.

A la hora de leer la suerte de unos enamorados es imposible predecir su destino. Cada historia de amor es diferente, pese a que las expectativas fundamentales de los amantes de nuestro tiempo sean muy parecidas. Casi todos reclaman el derecho a la «realización» personal y a la calidad de vida compartida. También reivindican una convivencia que esté imbuida de alegría, ilusiones, sinceridad, respeto, reciprocidad e igualdad. Esta última aspiración da por hecho la participación de la mujer en el mundo social, profesional o laboral y la colaboración activa del hombre en los quehaceres del hogar y, si viene al caso, en la crianza y educación de los niños.

Todas las relaciones amorosas requieren «alto mantenimiento». Necesitan ser afinadas y renovadas periódicamente para responder a las demandas de la convivencia a largo plazo, y para resolver las exigencias, tensiones y contrariedades que emergen. Estos ajustes permiten responder oportuna y saludablemente a las vicisitudes, esperadas e inesperadas, positivas y negativas: el nacimiento de un hijo, el éxito profesional, los agobios económicos, las enfermedades, las imposiciones de hijos adolescentes rebeldes, o el cuidado de padres ancianos. Por esto, las buenas relaciones están reñidas con la apatía y el pesimismo. Exigen entusiasmo para escucharse y comprenderse, motivación para perdonarse, flexibilidad para aceptar que cada uno es único e individual, esfuerzo para ponerse genuinamente en el lugar del otro, y habilidad para compaginar las necesidades contrapuestas de intimidad e iniciativa, dependencia y autonomía.

Las relaciones de pareja, familiares o de amistad, cuyos miembros utilizan un estilo optimista a la hora de interpretar los sucesos que les afectan, tienden a gozar de mayor estabilidad y perduran más que las uniones en las que predomina el modelo pesimista. Por ejemplo, un día Nuria llegó inesperadamente tarde a casa del trabajo. Aunque Felipe, su marido, estaba muy preocupado, no dudó en aceptar la razón que le dio su esposa: «Había más tráfico de lo normal» —un motivo que no culpaba a nadie por el retraso e implicaba que la causa fue circunstancial—. Como resultado, el revés tuvo un impacto mínimo y pasajero en la relación. Por el contrario, si Felipe hubiese optado por elaborar su propia interpretación del retraso «Nuria, sólo piensas en ti misma y lo único que te importa es tu trabajo», —una explicación que implicaba intencionalidad y una causa más permanente— lo más probable es que el contratiempo hubiese degenerado en una amarga discusión.

Cuando las parejas están convencidas de que las críticas del compañero son intencionadas y no cesarán porque están motivadas por sus necesidades emocionales egoístas o de poder, o por su personalidad, la relación tiene bajas probabilidades de perdurar. Naturalmente, esto no quiere decir que sea preferible negar o quitarle importancia a las causas reales de desacuerdos o enfrentamientos graves. Al contrario, en estos casos, reconocer y analizar sosegadamente la verdadera magnitud del problema a menudo es el primer paso para entenderlo, afrontarlo y resolverlo. El optimismo no está reñido con la aceptación de los problemas reales o los aspectos negativos de una situación desafortunada. Pero sí lo está con la pasividad y el rechazo absoluto de cualquier estrategia que pueda ayudar a resolver los problemas o a mejorar la situación.

Frank D. Fincham, profesor de Psicología de la Universidad de Gales, ha seguido durante varios años a cientos de parejas con el fin de dilucidar si la tendencia a encontrar explicaciones optimistas a los reveses da lugar a relaciones más felices o, si por el contrario, las parejas que son felices tienen mayor tendencia a utilizar explicaciones optimistas. Su conclusión es que el estilo de explicar que usan las personas antes de emparejarse pronostica la suerte de sus relaciones: cuanto más optimista el estilo explicativo de los individuos que forman la pareja, mejores auspicios para la unión.

Otra cualidad muy útil a la hora de resolver los conflictos cotidianos en las relaciones es la capacidad de perdonar. Como ya apunté al describir los rasgos del carácter, aunque oponerse a disculpar traiciones y crueldades es una característica humana muy común, en general las personas optimistas perdonan con más facilidad que las pesimistas. El problema de quienes no perdonan las provocaciones, los rechazos o los errores cotidianos es que a menudo viven obsesionados con las pequeñas ofensas de la pareja, de familiares o de amigos, y terminan amargados, aislados y ofuscados con los ajustes de cuentas, lo que les impide reconciliarse y recuperar la paz interior.

La esperanza constituye otro ingrediente básico del optimismo y desempeña un papel fundamental en las relaciones entre las personas. A menudo, dos individuos se atraen porque comparten algún interés, actividad o deseo. A medida que se conocen mejor y se sienten más compenetrados sentimentalmente, tratan de programar y compaginar sus prioridades y metas. Para las parejas que se concentran y sueñan con el futuro, la esperanza es el principal carburante que mueve la relación y la impulsa a superar los obstáculos que se interponen en el camino.

Aparte de las ilusiones globales que puedan alimentar sobre el futuro a largo plazo, las parejas también mantienen una esperanza específica que se basa en la fuerza de voluntad que invierten para conseguir objetivos concretos, desde resolver una desavenencia que surge en un momento dado, hasta comprarse un piso o tener un hijo. Las parejas que programan su proyecto de vida conjuntamente y se sienten capaces de enfrentarse y de luchar contra las circunstancias adversas perseveran con tesón ante los problemas. Desde un punto de vista práctico, es evidente que cuanto más se persiste en la búsqueda de una solución, más altas son las probabilidades de encontrarla, en caso de que ésta exista.

La esperanza más útil en las relaciones íntimas es la que no oculta o anestesia el dolor de las dificultades reales, no neutraliza la humildad que necesitamos para reconocer los propios fallos, ni tampoco hace superflua la motivación para cambiar. Es la esperanza también que no nos ciega ante la posibilidad de que la relación esté afligida por una incurable enfermedad.

La inmensa mayoría de las personas se casan con los depósitos de amor, de confianza y de ilusión a tope. Con el paso del tiempo, sin embargo, no pocas relaciones de pareja se debilitan y se hacen anémicas. Su vitalidad se apaga y es sustituida por la indiferencia, el aburrimiento, la enemistad y el dolor. En los países industrializados, entre un 30 y un 50 por ciento de los matrimonios terminan en separación, divorcio o anulación.

Pese a que la mayoría de las personas considera una relación de amor como paso esencial para lograr la felicidad, esta misma creencia también sirve de justificación para que muchas parejas no soporten una relación enferma que se ha convertido en una fuente permanente de desdicha. Con todo, la decisión de romper no se suele tomar precipitadamente, en un brote repentino de desesperación, sino que es el resultado del resentimiento crónico que crean la competitividad, los pulsos de poder, las humillaciones y las acusaciones crueles y venenosas entre los cónyuges.

Romper una relación en la que nació, creció, habitó y murió el amor es siempre una prueba espinosa, un trance angustioso. Las rupturas tienen muchos de los componentes de una tragedia humana, pero gran parte del sufrimiento que ocasiona es un signo saludable de supervivencia y de desafío a la apatía y al fatalismo. Cuando observamos de cerca la resignación al sufrimiento que adoptan algunas parejas que son profundamente desdichadas, casi siempre detectamos en los protagonistas una perspectiva de la vida negativa y perdedora. Quienes ignoran o se resignan a soportar una unión vacía, aburrida, seca, fingida y sin amor terminan pagando su derrotismo con su mejor capital, la felicidad.

Los efectos traumáticos de la separación son menos severos para las personas optimistas que para las pesimistas. Es razonable pensar que los hombres y mujeres separados o divorciados que tienden a no olvidar los buenos recuerdos de otras relaciones anteriores, que se fijan en los aspectos más favorables de sus circunstancias, y que deciden invertir esperanzados en un futuro mejor, superan mejor el miedo y la duda. Paralelamente, el optimismo refuerza el sistema inmunológico de estas personas en unos momentos bajos en los que tienen mayor predisposición a sufrir enfermedades físicas y emocionales, como hipertensión, trastornos digestivos, ansiedad y depresión.

Todas las parejas buscan explicaciones que les ayuden a entender la ruptura. Los beneficios de este proceso van a depender en gran parte de su interpretación de lo sucedido. Unas personas se condenan a sí mismas, otras culpan al cónyuge o a circunstancias externas irremediables. Pero todas construyen poco a poco su propio argumento. Tanto si la historia se ajusta a los hechos, como si se trata de meras racionalizaciones o de excusas, este trabajo es indispensable para poder superar los sentimientos normales de fracaso. Las personas que tienden a elaborar explicaciones que minimizan su culpa limitan el impacto de la ruptura en sus vidas y fomentan la ilusión en el futuro experimentan antes el deseo de volver a empezar y de explorar nuevas relaciones. Por el contrario, quienes explican el derrumbamiento de su matrimonio culpándose a sí mismos y anticipan que los efectos de la ruptura serán permanentes y devastadores en todas las esferas de sus vidas, acaban teniendo más dificultades para volver a empezar.

Por ejemplo, imaginemos a un hombre cuya prometida de varios años ha roto con él. Si este hombre atribuye la ruptura al miedo de su novia al compromiso matrimonial, y deduce que la separación no sólo le ha salvado de un emparejamiento desdichado con una mujer insegura, sino que le ha abierto las puertas para buscar una relación más feliz, probablemente se mantendrá esperanzado. Sin embargo, si piensa que la ruptura es culpa suya y deduce que la separación indica que él no vale como persona y, en consecuencia, nunca se casará ni tendrá hijos como desea, se sentirá profundamente desesperado.

No cabe duda de que la cualidad optimista de perdonar también ayuda a superar las secuelas de las rupturas. El odio enquistado mantiene a muchas personas prisioneras de por vida en el escenario del tormento pasado, amarradas al pesado lastre que supone la identidad de víctima, e incapaces de pasar página y comenzar un nuevo capítulo de su vida. Se acostumbra a pensar que el perdón requiere un intercambio cara a cara y sincero entre el ofendido dispuesto a perdonar y el ofensor que se arrepiente. Sin embargo para muchos separados o divorciados profundamente agraviados este careo no es posible. En estos casos el perdón se logra a solas, en silencio, en la intimidad. Perdonar no implica negar, justificar u olvidar las agresiones pasadas, pero sí implica explicarlas desde una perspectiva menos personal. Induce a aceptar que los fracasos, las incompatibilidades y las maldades son parte inevitable de la odisea de la vida.

SALUD

«El anhelo de curarnos constituye la mitad de nuestra salud».

SÉNECA,
Hipolitus (Phaedra), 50 a.C.

Para entender el papel que desempeña el temperamento de las personas en su salud, es importante tener en cuenta la estrecha vinculación que existe entre la mente y el cuerpo. Desafortunadamente, en el siglo XVII el influyente filósofo francés René Descartes, quien enumeró las reglas para adquirir el conocimiento —observación, análisis y síntesis— y popularizó la frase «pienso, luego existo», propuso la existencia de una clara dicotomía o separación entre la mente intangible y abstracta, y el cuerpo de carne y hueso. Descartes afirmó en la sexta meditación de su obra *Meditaciones* (1641), que la mente y el cuerpo fueron creados por Dios como dos entes distintos e independientes. Esta idea peregrina retrasó más de dos siglos el estudio de la relación mente-cuerpo.

Hoy se piensa de forma muy distinta. Sabemos que la mente mantiene una conexión continua de ida y vuelta con el cuerpo, a través de los sistemas nervioso y endocrino. Una de las primeras ilustraciones de esta conexión fue la observación de que las contracciones de los músculos faciales afectaban el estado de ánimo. Aunque siempre se aceptó que la cara es el espejo del alma, hasta hace relativamente poco tiempo nadie se imaginaba que las expresiones del rostro típicas de ciertas emociones, como la risa o el llanto, aunque sean provocadas artificialmente, terminan por producir en la persona los sentimientos genuinos que representan. Esta conexión de doble dirección entre las emociones y sus manifestaciones corporales, que los actores y actrices conocen de sobra, fue ya intuida por el naturalista Charles Darwin y el psicólogo William James. Este último observó que silbar una melodía alegre en la oscuridad neutralizaba el miedo y estimulaba la confianza en el silbador. El médico español Gregorio Marañón también demostró, hace medio siglo, que las personas podían producir en ellas mismas una emoción simplemente ejecutando los gestos físicos que la caracterizaban.

Son muchos los estímulos que recibe el cerebro, tanto provocados por mensajes de nuestro cuerpo como por fuerzas del entorno que afectan al equilibrio de sustancias neurotransmisoras. Éstas sirven de mensajeras entre las neuronas encargadas de modular nuestro estado emocional y las neuronas del sistema nervioso vegetativo, que controla, independientemente de nuestra conciencia, el ritmo del corazón, la presión arterial, la secreción de hormonas, la movilidad del aparato digestivo y el funcionamiento del sistema inmunológico y otras funciones vitales.

En los diagnósticos médicos hay una serie de trastornos físicos que sólo se pueden explicar desde el marco psicológico. Los síntomas de estas dolencias, llamadas psicosomáticas, incluyen dolores generalizados, alteraciones gastrointestinales y problemas neurológicos o del sistema reproductor. La gran mayoría de las situaciones estresantes cotidianas sólo nos afectan temporalmente. Pero ciertos sucesos, como la muerte de un ser querido o la ruptura de una relación importante, nos hacen vulnerables a las infecciones, a los trastornos digestivos y a las enfermedades del corazón. Una revisión reciente llevada a cabo por Redford Williams, profesor de Medicina de la Universidad de Duke, sobre los factores psicológicos que debilitan el sistema inmunológico y contribuyen a producir enfermedades cardiovasculares, concluyó que la hostilidad, la depresión, el miedo y el estrés persistentes producen en algunas personas hipertensión y oclusión de las arterias coronarias. La razón es que estas emociones alteran el funcionamiento de los centros cerebrales que regulan el sistema hormonal y los órganos más importantes del cuerpo.

Por otra parte, numerosas investigaciones muestran que situaciones que fomentan la tranquilidad, como el desahogo emocional que produce hablar y compartir con otros los problemas y dificultades, fortifican las defensas. Por ejemplo, la participación semanal en grupos terapéuticos de apoyo psicológico está relacionada con una mayor esperanza y calidad de vida en pacientes que sufren de enfermedades crónicas y algunos tumores malignos. Enfermos de soriasis que participan en sesiones de relajación o meditación se curan más rápidamente de sus lesiones. Incluso escribir sobre experiencias traumáticas pasadas causa una mejoría sintomática sustancial y a largo plazo en enfermos asmáticos y artríticos.

Cuando hablamos de buena salud nos referimos al sentimiento subjetivo de que nuestro cuerpo ejerce con normalidad todas sus funciones. La Organización Mundial de la Salud va incluso más allá y la define como «el estado de completo bienestar físico, mental y social». La forma de evaluar con objetividad el funcionamiento de nuestro cuerpo es a través de un examen médico. Sin embargo, la salud casi siempre pasa desapercibida y sólo la echamos de menos cuando nos sentimos mal. Por eso, la mayoría no visitamos al doctor a no ser que nos sintamos indispuestos.

Tres docenas de investigaciones sobre la percepción subjetiva de la propia salud, realizadas en Canadá, Europa y Estados Unidos por los investigadores Idler, Kaplan, Mossey y Veenhoven, demuestran que la respuesta a la simple pregunta de «¿Cómo describiría su salud en general: excelente, muy buena, buena, pasable o mala?», predice la longevidad mejor que un examen médico completo, especialmente en personas mayores de 60 años. Por ejemplo, según estudios realizados en Holanda y EE UU, las personas que evaluaron subjetivamente de «excelente» su forma física, vivían de promedio veinte meses más que quienes la catalogaban de «mala». Estos resultados eran independientes de su edad, sexo, y su estado físico objetivo, medido por las enfermedades que padecían y las medicinas que tomaban. Una explicación podría ser que las personas evalúan más correctamente su estado general de salud que los médicos o las pruebas diagnósticas. Otra, que una vez que catalogan su nivel de salud, adoptan el estilo de vida más apropiado para que su predicción se cumpla. Sea lo que fuere, lo que parece cierto es que la valoración positiva o negativa que hacemos de nuestra propia salud puede vaticinar los años que nos quedan de vida a partir de un momento dado.

La actitud optimista o pesimista del individuo también es un factor importante a la hora de predecir su longevidad. El psicólogo experimental Christopher Peterson estudió esta relación en mil y pico hombres y mujeres durante un periodo de casi cincuenta años. Los resultados, publicados en 1998, revelaron que los pesimistas morían prematuramente con más frecuencia que los optimistas, incluyendo accidentes y muertes violentas. La profesora de Psicología de la Universidad estadounidense de Wisconsin, Lyn Abramson, en otra serie de estudios publicados entre 1998 y 2000, confirmó que las personas pesimistas tienen el doble de probabilidades de suicidarse que los optimistas.

Posteriormente, investigadores de la prestigiosa clínica Mayo (Minnesota) liderados por el doctor Toshihiko Maruta, publicaron un estudio en el que habían medido el nivel de pesimismo de 839 voluntarios utilizando un test de personalidad, y treinta años más tarde averiguaron quién vivía y quién no. Los resultados indicaron claramente que, los individuos catalogados como más pesimistas tres décadas antes, tenían estadísticamente las más altas probabilidades de estar muertos. A la hora de explicar estos resultados, la mayoría de los investigadores baraja las mismas hipótesis: las personas derrotistas son más imprudentes y sufren más accidentes que las optimistas. Los devotos del fatalismo tienden a creer que «nada que yo haga importa» o están convencidos de que no es posible planificar la longevidad, así que no cumplen con el tratamiento médico, se agarran al derecho de escoger sus propios venenos y mueren prematuramente de dolencias evitables, como enfermedades cardiovasculares, cirrosis, enfisema, cáncer pulmonar o sida. También se sabe que los individuos optimistas se deprimen con menos frecuencia que los pesimistas y la depresión esta asociada a la mortalidad precoz. El psicólogo Charles Carver, de la Universidad de Miami, comprobó en 1987 que cuanto más alto era el nivel de optimismo de las mujeres embarazadas durante el tercer trimestre, menos probabilidades tenían de deprimirse después del parto.

Cada día más pruebas confirman los beneficios directos e indirectos de las emociones positivas sobre la salud. Una actitud esperanzada estimula los dispositivos curativos naturales del cuerpo y anima psicológicamente a la persona a adoptar hábitos de vida saludables. El temperamento optimista alarga la vida de dolientes crónicos, incluidos quienes padecen esclerosis múltiple, sida, personas que han sufrido ataques de corazón, enfermos de insuficiencia renal, hipertensión y herpes. Como demostró el psicólogo de la Universidad de Connecticut, Glenn Affleck, el temperamento optimista o pesimista es el factor que mejor predice la calidad de vida cotidiana de pacientes de asma y artritis.

Otro dato curioso y no menos relevante es que bastantes enfermos terminales ilusionados con aniversarios significativos para ellos o acontecimientos de los que anhelan ser testigos, como la boda de una hija o el nacimiento de un nieto, alargan sus vidas hasta después de producirse estos eventos.

En un estudio sugerente llevado a cabo por el investigador estadounidense T. P. Hackett, pacientes optimistas que le quitaban importancia a haber sufrido un grave infarto de miocardio y minimizaban la seriedad de su condición, se recuperaban antes y tenían más probabilidades de sobrevivir que aquellos que reaccionaban con angustia y desesperanza. Aunque una respuesta de negación en estas circunstancias puede restarle motivación al paciente para seguir el tratamiento y tener consecuencias peligrosas, al parecer los pacientes que no reconocían el significado siniestro de los síntomas creaban una especie de «ilusión profética». Su optimismo les ayudaba a autorregular sus emociones negativas y a reducir su vulnerabilidad a las complicaciones. En el mismo sentido, Charles W. Given, de la Universidad de Michigan, ha demostrado que el talante positivo del enfermo no sólo es beneficioso para él sino que también tiene un efecto antidepresivo en los familiares y cuidadores.

En general las personas optimistas experimentan menos angustia que las pesimistas ante las averías del cuerpo. La razón es que quienes confían en el futuro piensan que la coyuntura en la que se encuentran será temporal, de impacto limitado, y además ponen más esfuerzo para superar los desarreglos.

Muchas veces se ha dicho y escrito que los humanos somos criaturas vinculadas al mañana. Nuestras suposiciones o expectativas acerca del futuro tienen un gran impacto en nuestro estado presente. Por eso, la esperanza ejerce un papel tan importante en la curación. El efecto placebo, que mencioné al referirme a los orígenes del pensamiento positivo, es el paradigma de la capacidad de los seres humanos para movilizar sus propias fuerzas naturales curativas. Un ejemplo típico y reciente de esta capacidad quedó claro en un estudio cuyo fin era comparar la eficacia de un nuevo medicamento para curar la úlcera de duodeno con otro anterior que ya llevaba varios años en el mercado. Los 300 enfermos de Texas que participaron voluntariamente en esta prueba dirigida por el equipo del doctor Frank Lanza habían sido diagnosticados todos ellos con úlcera, después de haberse visualizado dicha lesión a través de una endoscopia. Los participantes fueron separados al azar en tres grupos: el primero recibió el nuevo fármaco, el segundo la medicina antigua y el tercero recibió un placebo. Los tres tipos de cápsulas tenían una apariencia externa idéntica, y ni los enfermos ni los médicos que los evaluaban conocían su contenido, siguiendo un modelo de investigación que se conoce como «doble ciego». Después de cuatro semanas de tratamiento, los pacientes volvieron a ser sometidos a otra endoscopia para ver si la úlcera había sanado. Los resultados mostraron que el 88 por ciento de los pacientes tratados con la nueva medicina, el 66 por ciento de los que recibieron la medicina antigua, y el 49 por ciento de los que tomaron placebo se habían curado.

Los placebos no sólo pueden ayudar al enfermo a curar una avería del cuerpo, también pueden aliviar alteraciones del estado de ánimo, como se ha demostrado en un estudio reciente llevado a cabo por un grupo de investigadores de la Universidad del Sur de California, encabezado por el doctor Lon Schneider. La mitad de los 728 pacientes que participaron, todos mayores de 60 años y con un cuadro depresivo, recibió tratamiento con pastillas del probado antidepresivo sertralina; la otra mitad sólo tomó una sustancia inerte en forma de comprimidos de aspecto similar. A las ocho semanas habían mejorado el 45 por ciento de los enfermos en el grupo de tratamiento activo y el 35 por ciento de los pacientes que tomaron placebo. Especialmente llamativo fue el hecho de que tanto los pacientes que tomaron sertralina como los que ingirieron la sustancia inocua se quejaron, casi con la misma frecuencia, de efectos secundarios como mareos, sequedad de boca, somnolencia, dolor de cabeza y náuseas.

El efecto placebo no se limita a los fármacos. Por ejemplo, en la década de 1950 se puso de moda operar a los pacientes que sufrían dolor de angina de pecho ligándoles las arterias mamarias con el fin de aumentar el flujo de sangre al corazón. Diez años y miles de intervenciones más tarde, se llevaron a cabo dos estudios en los que los doctores Grey Dimond y Leonard Cobb compararon los efectos de esta popular intervención con operaciones simuladas en las que los cirujanos hacían simples incisiones superficiales en el pecho de pacientes que no sabían si se les había sometido al procedimiento real o a otro ficticio. El resultado de esta comparación fue apabullante, pues reveló que mientras el 67 por ciento de los 21 pacientes que fueron sometidos a la operación real mejoraron, el 83 por ciento de los que recibieron la intervención simulada ¡mejoraron igualmente!

Por muchas vueltas que le demos al fenómeno, el denominador común de los enfermos que sanan por sí mismos es su alto nivel de esperanza de cura. Si bien todavía se conoce muy poco sobre los mecanismos que intervienen en la conexión esperanza-cura, a principios de 2004 un grupo de investigadores encabezado por el neurólogo sueco Predrag Petrovic, del Instituto Karolinska de Estocolmo, demostró que la esperanza de conseguir alivio del dolor como respuesta a un placebo produce cambios físicos cerebrales que son incluso visibles a través de resonancia magnética. Quizá este dato ayude a entender la respuesta positiva.

Como ya he dicho en otras ocasiones, todos nacemos con doble nacionalidad: la del país vitalista de la salud y la del estado doloroso de la invalidez. Aunque preferimos usar sólo el pasaporte bueno, tarde o temprano casi todos nos vemos obligados a declararnos ciudadanos del reino de la enfermedad. Pero ese lugar inseguro y doloroso se hace más llevadero si contamos con el aliento, el alivio y quizá la cura que nos proporciona la esperanza.

TRABAJO

> «Lo que los seres humanos realmente necesitan no es vivir sin tensiones. Lo que precisan es sentir y responder con energía a la llamada de ese algo que les está esperando para poder realizarse».
>
> VICTOR E. FRANKL,
> *El hombre en busca de sentido*, 1946

La mayoría de los adultos dedicamos una gran parte del tiempo a trabajar para ganarnos la vida. Según el Génesis, nuestros progenitores originales, después de desobedecer a Dios y comer la manzana prohibida, fueron arrojados del Paraíso y condenados, junto con sus descendientes, a buscarse el pan cotidiano con fatiga y sudor. Es verdad que abundan los hombres y las mujeres que consideran sus ocupaciones un duro deber y hasta una auténtica mortificación, pero también es cierto que no faltan personas para quienes el trabajo es una actividad atractiva, entretenida y hasta creativa. De hecho, bastante gente sostiene que su empleo no es sólo el medio que le permite obtener bienes para la subsistencia, sino algo que añade satisfacción y significado a sus vidas, y que forma una parte positiva de su identidad personal y social.

En la actualidad, no pocas madres que trabajan fuera del hogar se enfrentan al desafío de compaginar su misión doméstica con sus intereses y proyectos laborales o profesionales, dilema que a menudo refleja el enorme reto que supone la maternidad en nuestros días, especialmente si son cabeza de familia o no cuentan con el apoyo de un compañero. Con todo, muchos expertos, como las sociólogas Grace Baruch y Rosaline Barnett, han demostrado que las madres que trabajan y mantienen un buen equilibrio entre familia y ocupaciones, disfrutan más de sus hijos que cuando se sienten «atrapadas» en su domicilio o en el trabajo. Los pequeños que viven con madres y padres que trabajan fuera de casa crecen con completa normalidad, siempre que no les falte afecto y seguridad, y que estén bien atendidos por terceras personas.

Numerosos estudios revisados hace poco por el profesor de Psicología Edward C. Chang sugieren que para disfrutar y tener éxito en el trabajo, además de aptitud y motivación para desempeñar la tarea se requiere un nivel razonable de optimismo. La disposición optimista ayuda a confiar en la propia competencia, a poner empeño en la labor, a no rendirse ante las dificultades y a conservar una apariencia de seguridad.

En el ámbito del trabajo, el temperamento optimista se alimenta de tres fuentes: la conciencia que mantiene la persona de sus logros laborales del pasado, las explicaciones positivas que da a las vicisitudes que surgen, y la esperanza que alberga de conseguir sus objetivos. Los hombres y las mujeres que encuentran aspectos favorables en las vicisitudes de su empleo u ocupación se sienten por lo general más satisfechos que quienes enfocan predominantemente las facetas desfavorables. Este efecto del optimismo es importante, pues una obligación regular gratificante fomenta en nosotros la autoestima, y estimula el sentido de la propia competencia y autonomía.

La NASA, que elige con exquisito cuidado a los candidatos a astronautas, aparte de valorar su preparación científica y experiencia aeronáutica, considera entre las características personales más deseables el talante optimista. Esta disposición positiva debe reflejarse en una abundante dosis de confianza en sí mismos y en la mentalización de que su suerte está en sus manos; en un espíritu emprendedor y una actitud audaz y al mismo tiempo serena ante los desconocidos retos e imponderables; en una buena disposición para convivir y trabajar en equipo; en la habilidad para resistir el aburrimiento, la soledad y la incertidumbre; y en la aptitud para compartimentar la duda y el miedo.

LeRoy E. Cain, el veterano director de vuelos espaciales de la NASA y responsable de vuelo de la nave Columbia que se desintegró con sus tripulantes al entrar en la atmósfera en febrero de 2003, afirmaba en un artículo publicado días después en el diario *The New York Times* que, a pesar de los numerosos signos que apuntaban a problemas fatales de la nave, se mantuvo «totalmente esperanzado y seguro de que el Columbia aterrizaría sin consencuencias». Según los técnicos y controladores que trabajaban a sus órdenes, la actitud optimista de LeRoy alentó durante mucho tiempo la concentración y los esfuerzos del equipo por encontrar la fórmula de salvar a los astronautas.

En un interesante proyecto dirigido por Martin Seligman a finales de la década de los ochenta, quince mil aspirantes a vendedores de pólizas de seguros de la empresa Metropolitan Life realizaron dos pruebas: la de aptitud para vendedores y otra de personalidad que medía el grado de optimismo y pesimismo de los candidatos. Como resultado, se contrató a unos mil doscientos individuos que se dividían en tres grupos. El primero, conocido por «los optimistas», consistía en quinientos candidatos que habían aprobado el examen de aptitud y, de acuerdo con el test de personalidad, eran moderadamente optimistas. El segundo grupo lo formaban «los pesimistas», otros quinientos aspirantes que igualmente habían pasado la prueba de aptitud, pero tenían una personalidad moderadamente pesimista. El tercer grupo, denominado «los comandos especiales», lo integraban unos doscientos candidatos que habían suspendido la prueba de aptitud para vendedores, pero que en el test de personalidad mostraban niveles muy altos de optimismo.

Dos años después, los directivos de Metropolitan Life compararon la productividad de los tres grupos. Los resultados revelaron que los más productivos fueron «los comandos especiales». Estos superoptimistas, cateados en el examen de aptitud, aventajaron en venta de pólizas al grupo de «los optimistas» en un 26 por ciento y al de «los pesimistas» en un 57 por ciento. Al parecer, el éxito de los vendedores de talante optimista obedecía principalmente a su más alta persistencia en la labor y mayor resistencia a rendirse ante los rechazos de los posibles compradores. Desde entonces el célebre *optimismómetro* Seligman forma parte del proceso de selección de vendedores de seguros de la compañía.

Las personas optimistas que hacen frente a los avatares del mundo laboral con una disposición abierta y confiada tienden a dar un «¡sí!» decidido y firme a las propuestas y oportunidades que se les presentan, y funcionan muy bien en ocupaciones que requieren relacionarse con los clientes o trabajar en equipo. Estas personas suelen atribuir sus éxitos a su propia competencia, por lo que se sienten más orgullosos de sus logros que quienes los atribuyen a la suerte o a la ayuda de otros. Por otra parte, cuando fracasan, se sienten menos avergonzados porque culpan a la mala suerte o a otros factores externos, y no a su incompetencia.

En la gran mayoría de las organizaciones las actitudes derrotistas no están bien vistas y se consideran hasta desleales. Nunca los portadores de malas noticias son bienvenidos por sus jefes. Por el contrario, los empleados considerados optimistas suelen ser favorecidos por sus superiores y compañeros en el trabajo. En general, los empleados optimistas son los más populares en las empresas, ocupan puestos de trabajo y cargos superiores y ganan más dinero que los pesimistas. Pese a estos claros beneficios, son pocas las personas que tratan activamente de estimular su talante optimista para mejorar sus posibilidades laborales.

Las personas que esperan conseguir aquello a que aspiran tienden a trabajar más intensamente y más tiempo que quienes no esperan alcanzar sus objetivos. Jonathan D. Brown, de la Universidad de Washington, en una serie de investigaciones sobre la confianza de las personas en su capacidad para solucionar problemas en el trabajo, demostró que quienes albergan expectativas positivas son más eficaces ante los problemas, especialmente en situaciones difíciles, porque se crecen ante las dificultades.

Las expectativas optimistas están asociadas a resultados superiores. Por el contrario, quienes esperan fracasar tienen más probabilidades de fracasar, ya que el pensamiento negativo ante tareas complicadas predispone a cometer errores. Además, la disposición optimista amortigua el impacto emocional del fracaso.

No se me escapa que hay críticos del optimismo que lo equiparan a la falta de realismo. Para ellos, en situaciones de emergencia lo que hace falta en la cabina del piloto no es una perspectiva exultante sino una visión pesimista y crudamente realista. Asimismo, insisten en que hay situaciones en las que es preferible retirarse a tiempo o cambiar de rumbo, a pesar de las pérdidas sufridas, que esperar o insistir en avanzar por el mismo camino, animados por vanas ilusiones. Es innegable que el director de finanzas de una compañía o el ingeniero encargado de la seguridad de una planta nuclear necesitan, respectivamente, tener una noción correcta de la inversión que la compañía puede permitirse, y conocer a fondo el nivel de peligrosidad del reactor atómico en un momento dado. La prudencia, la cautela, la objetividad y la precisión son cualidades importantes para su cometido. No obstante, la pregunta que cabe hacerse es si estos atributos son incompatibles con el optimismo.

Estudios sobre ejecutivos y empresarios indican que la gran mayoría de ellos sabe que el cálculo del riesgo es un reto que hay que superar, y la clave para conseguirlo depende de su «sabiduría y habilidad» para dirigir el negocio en la dirección acertada. En los directivos de las empresas se valora mucho el nivel de esperanza en el futuro de la compañía y las expectativas de éxito. Los ejecutivos de nivel medio se mueven por el poderoso incentivo de presentar cifras y datos optimistas a sus superiores. Las propuestas que tienen más probabilidades de sobrevivir a la competición interna de las empresas son aquellas que pronostican los resultados más favorables, aunque luego estos proyectos no alcancen los objetivos más ambiciosos.

Dado el peligroso precio del optimismo exagerado, que ignora o no calcula con ninguna precisión las probabilidades de riesgo, es razonable pensar en la conveniencia de mantener una cierta dosis de pesimismo que fomente decisiones realistas. No obstante, está demostrado que el realismo desmesurado, bajo condiciones adversas, tiene el precio de la desmoralización y la indolencia. Daniel Kahneman y Dan Lovallo, expertos en dirección de empresa de la Universidad de Princeton, han observado que incluso el optimismo mínimamente realista constituye una fuerza muy potente que contribuye a superar situaciones adversas en las empresas y alimenta la persistencia de los empleados ante las dificultades.

El profesor de Dinámica de las Organizaciones de la Universidad de Michigan, Karl Weick, ilustra la superioridad de la confianza y el entusiasmo frente a la evaluación realista de una situación en este interesante relato de un suceso verídico. Durante unas maniobras militares en Suiza, un joven teniente de un destacamento húngaro en los Alpes envió a un pelotón de soldados a explorar una montaña helada. Al poco rato comenzó a nevar intensamente y dos días más tarde la patrulla no había regresado. El teniente pensó angustiado que había enviado a sus hombres a la muerte. Al cuarto día, los soldados regresaron al campamento. «¿Qué os ha ocurrido? ¿Cómo lograsteis volver?», les preguntó el oficial, y le respondieron que se habían perdido totalmente y poco a poco se fueron descorazonando hasta que uno de ellos encontró un mapa en su bolsillo. Esto les tranquilizó.

Esperaron a que pasara la tormenta y valiéndose del mapa dieron con el camino. El teniente estudió con interés el mapa providencial y descubrió con asombro que era un mapa de los Pirineos. En realidad el mapa no había servido para guiar a los soldados, sino para avivar en ellos la esperanza, que fue lo que les hizo salir del trance y enfrentarse a la situación.

Cuando se analiza la relación entre optimismo y trabajo, el optimismo que mejor funciona no es el que alimenta la tendencia indiscriminada al pensamiento positivo, sino el que promueve la disposición esperanzada que se ajusta lo más posible a la realidad. Los soñadores idealistas que no distinguen entre las metas alcanzables y las imposibles, o no evalúan correctamente el riesgo de sus decisiones, pueden llegar a conclusiones equivocadas en sus juicios. En este sentido, quizá la estrategia a seguir en situaciones inciertas o peligrosas sea esperar lo mejor y prepararse para lo peor.

Independientemente de lo contentos que nos sintamos en el trabajo, la pérdida inesperada del empleo supone siempre un duro golpe para nuestro estado de ánimo. El despido es a menudo interpretado como un fracaso personal. Además del impacto que pueda tener en nuestra seguridad económica, el cese involuntario hiere la autoestima y plantea un reto a la confianza y al sentido de control que tenemos sobre la propia vida. Con el tiempo, la inactividad continuada se puede convertir en un motivo de amargura y desesperación.

Al igual que en las rupturas de relaciones importantes, las personas optimistas superan por lo general mucho mejor la crisis del despido que las pesimistas. Para empezar, suelen achacar su situación a causas ajenas o transitorias, lo que les protege de los sentimientos de humillación, incompetencia o desmoralización. Y al esperar encontrar un nuevo trabajo, lo buscan con más tesón, lo que a su vez aumenta las probabilidades de encontrarlo.

El talante optimista ayuda a superar la ansiedad que frecuentemente acompaña a la jubilación forzosa, sobre todo cuando el empleo constituyó la fuente principal de gratificación personal y de reconocimiento social. Para muchos jubilados acostumbrados a un trabajo cotidiano, sobre todo si viven solos o no tienen familia —situación cada día más común—, la jubilación supone un retiro involuntario de la vida. Las personas jubiladas optimistas buscan con más facilidad posibles actividades alternativas que les permitan participar en proyectos, ampliar su formación, potenciar sus habilidades o contribuir a causas relevantes. Esto es realmente una ventaja porque estas actividades tienen la virtud característica de ser una fuente importante de satisfacción.

A medida que se prolonga la duración de la vida, que la tecnología permite reducir el número de horas laborables y que se multiplican las personas desocupadas a causa del paro o de la jubilación anticipada, el significado del ocio se revaloriza. Las tareas recreativas que eligen las personas dependen de sus gustos, del ambiente ecológico y social en el que viven y de los medios a su alcance. No obstante, la capacidad de disfrutar del ocio está condicionada sobre todo por la disposición temperamental. Con independencia de que persigamos aventuras emocionantes que hagan saltar el corazón, o prefiramos situaciones tranquilas que conduzcan al reposo o la introspección, la satisfacción realmente depende de cómo valoremos nuestra actividad, del significado que le asignemos.

«A los políticos de antes les bastaba con saber adular a los reyes; los de ahora tienen que aprender a fascinar, entretener, camelar e ilusionar a los votantes».

GEORGE BERNARD SHAW,
Guía del revolucionario, 1903

William Dember, sociólogo de la Universidad de Cincinnati, observó hace unos años que los individuos que dicen estar comprometidos con alguna ideología política son más optimistas que quienes se consideran apolíticos. Si bien es razonable pensar que los caracteres optimistas se pueden sentir atraídos con mayor frecuencia que los pesimistas por las intrigas y los retos que se plantean continuamente en el ajetreado mundo de la política, lo opuesto también es posible; es decir, que haya personas que extraigan energía positiva de su participación activa en causas de interés público.

Hace unos años, Harold Zullow, y un equipo de psicólogos de la Universidad de Pensilvania, diseñó una técnica para calcular el nivel de optimismo de las personas analizando literalmente el contenido de su lenguaje hablado y escrito. La originalidad de este método consistía en que permitía evaluar el nivel de optimismo estudiando las declaraciones de las personas sin tener que acudir, como se hacía antes, a pruebas psicológicas o entrevistas personales.

Utilizando este análisis de contenido se propusieron estudiar, entre otras cosas, la relación entre la disposición optimista o pesimista de los candidatos a presidente de Estados Unidos y el resultado de las elecciones. Según los resultados del proyecto, los políticos optimistas tienen varias ventajas. Una es que tienden a ser más activos, a participar en más actividades electorales y a reaccionar más rápidamente a las situaciones imprevistas. Además, son más accesibles y atractivos para los votantes. Finalmente, cuanto más optimista sean los candidatos más esperanza de victoria generan en los votantes. Las explicaciones positivas tienden a transmitir sentimientos de esperanza y seguridad ante las crisis y los retos sobre los que tienen que pronunciarse los electores. Por tanto, es razonable pensar que si los votantes quieren un líder que les permita creer que resolverá los problemas del país, tenderán a favorecer al candidato optimista.

Posteriormente, otro grupo de expertos en lenguaje analizó y puntuó el contenido optimista y pesimista de los discursos de candidatos a la presidencia de Estados Unidos desde 1900 a 1984, sin saber a priori la identidad de los oradores. Los resultados retrospectivos revelaron que los dieciocho candidatos considerados más optimistas por los investigadores en las veintidós elecciones que se realizaron durante este periodo fueron elegidos presidentes. Conclusión: el electorado prefirió en el 82 por ciento de los comicios al aspirante más optimista.

Por primera vez, el contenido de los discursos de los políticos había servido para predecir con gran fiabilidad el resultado en las urnas. El optimismo de los pretendientes a ocupar la Casa Blanca en Washington se reflejaba de varias maneras en el texto de sus intervenciones. Por ejemplo, ante problemas complejos decían ver claramente su causa y su solución. Al mismo tiempo, manifestaban un estilo positivo de interpretar los sucesos que les afectaban. Sus explicaciones se caracterizaban por considerar los graves reveses como ligeros inconvenientes pasajeros, sin impacto en el bienestar del país.

Las declaraciones de estos aspirantes optimistas también se distinguían porque en ellas no asumían responsabilidad personal por los fracasos de sus políticas, sino que los achacaban a circunstancias incontrolables, a fuerzas destructivas ajenas o a enemigos malévolos, como el célebre «eje del mal» del presidente George W. Bush. Sin embargo, ante los acontecimientos favorables, aunque fuesen fortuitos, tendían a afirmar que los beneficios serían perdurables y moldearían muchas facetas del bienestar económico y social de la nación. Tampoco dudaban en apuntarse casi todos los méritos cuando las cosas venían bien dadas. Les bastaba proclamar que esos hechos imprevistos eran fruto de un plan preconcebido por ellos, o su partido, lo que les hacía dignos de la recompensa de los votantes.

Animados por el descubrimiento, estos investigadores decidieron utilizar el mismo termómetro del optimismo para pronosticar los resultados de las elecciones a la Presidencia y al Senado de 1988. Sus predicciones, registradas dos semanas antes del sufragio, fueron sorprendentemente correctas. No sólo anunciaron de antemano los triunfos del republicano George Bush padre sobre el demócrata Michael Dukakis, y de veinticinco de los aspirantes que participaron en las veintinueve contiendas para el Senado ese mismo año, sino que también anticiparon con precisión la mayoría de los márgenes de las victorias.

Los triunfos electorales de Bill Clinton en 1992 y 1996 también fueron vaticinados acertadamente utilizando este mismo sistema. Por cierto, Clinton, durante su segunda campaña contra Bob Dole, repetía constantemente que era de «un pueblo llamado esperanza», a lo que Dole le contestaba que él era «el hombre más optimista de América». En los comicios celebrados en 2000, George

W. Bush y Al Gore daban niveles de optimismo estadísticamente parecidos, lo cual coincidió con los resultados tan ajustados como polémicos de dichas elecciones.

Según Zullow y su equipo de expertos, las únicas excepciones de la regla general que da ventaja electoral al candidato más optimista fueron las tres elecciones presidenciales consecutivas (1932, 1936 y 1940) del pesimista Franklin D. Roosevelt, quien gobernó durante la Gran Depresión económica y la Segunda Guerra Mundial, y la victoria de Richard Nixon en 1968, en el auge de la guerra de Vietnam.

En cuanto a los protagonistas de las elecciones estadounidenses de noviembre de 2004, casi todos los expertos coincidieron en que el presidente George W. Bush presentó una imagen más optimista que el senador demócrata John Kerry, a quien algunos cronistas llamaron «el caballero de la triste figura». Bush comunicó al electorado machaconamente que esperaba que en su segundo mandato ocurrieran cosas buenas y que él era el único que podía conseguir que ocurrieran. También optó por dar toda suerte de promesas y explicaciones positivas que le justificaban y le favorecían, aunque fueran tan simplistas como ficticias, como en el caso de las armas de destrucción masiva imputadas a Irak. Esta estrategia, consciente o inconsciente, le ayudó a mantener una imagen de confianza en público, especialmente en momentos de vulnerabilidad.

Bush esgrimía continuamente comparaciones favorables para evaluar las consecuencias negativas de sus decisiones. Es obvio que al contrastar una mala situación —el estado calamitoso de Irak, por ejemplo— con otra peor —la expansión del terrorismo y la proliferación de armas de destrucción masiva en el planeta—, el líder político estadounidense hacía llegar a los ciudadanos un mensaje más reconfortante sobre las consecuencias de su belicismo que si hubiese recurrido a comparaciones más relevantes, como la seguridad en el mundo antes y después de la invasión unilateral de Irak. Cuando Bush comparaba la pérdida de casi dos millones de puestos de trabajo, y el aumento espectacular del número de personas pobres y sin seguro médico que tuvieron lugar durante su primer mandato, con las tasas de indigencia de otros países menos afortunados, transmitía un mensaje más asimilable sobre su política económica que si hubiese contrastado las mismas cifras con las mejores condiciones que existían durante los gobiernos de sus predecesores. La realidad es que las comparaciones ventajosas que hizo Bush de las adversidades, con independencia de su objetividad o de su racionalidad, le valieron al final ante el electorado.

El discurso de John Kerry, por el contrario, era primordialmente pesimista. Se caracterizaba por resaltar y remachar la larga lista de disparates y excesos perpetrados durante los cuatro años precedentes de administración republicana. Sus explicaciones y comparaciones, aunque más elocuentes y reales, siempre resultaban en un balance negativo de la situación presente. El senador pasaba por alto o despreciaba con sarcasmo cualquier dato positivo que pudiera relacionarse remotamente con su contrincante. Para él las buenas noticias eran meras casualidades esporádicas, y las malas siempre las atribuía a decisiones desatinadas del presidente.

Es evidente que los líderes políticos optimistas tienen ventaja sobre los pesimistas, al menos en Estados Unidos. Aunque no me sorprendería si ocurriese lo mismo en otros países. Hoy no pocos expertos en campañas electorales saben que el optimismo importa. Por eso, en la arena de la rivalidad democrática, el optimismo y el pesimismo cada día se usan más como armas. Por ejemplo, durante la campaña electoral de las elecciones generales en España de marzo de 2004, según los medios de comunicación, mientras el candidato Mariano Rajoy acusó repetidamente a su principal adversario, José Luis Rodríguez Zapatero, de «arrastrar un fardo de pesimismo», éste alardeaba continuamente de poseer un talante más optimista que su rival.

Cada día resulta más difícil estar seguros de que la apariencia optimista de un político refleja verdaderamente su temperamento. Además, en la actualidad los especialistas en imagen pueden amañar con relativa facilidad la fachada de la personalidad de cualquier personaje que se lo proponga, por lo menos durante un periodo de tiempo. Como consecuencia, el optimismo ficticio, ilusorio y engañoso en gobernantes de sensatez cuestionable es una posibilidad real preocupante y hasta peligrosa.

Al final, sin embargo, en el espectáculo electoral de las democracias la última palabra la tienen los ciudadanos que votan. Esto es reconfortante. Pese a que en la historia de los pueblos encontramos líderes electos que resultaron ser pilotos desastrosos de sus seguidores, la realidad es que a la hora de tomar decisiones importantes que afectan el destino de un país todavía no se ha inventado nada más fiable que la sabiduría del pueblo. Este pensamiento me hace recordar una interesante anécdota del científico inglés Francis Galton publicada en 1907 en la revista *Nature*. Galton relata en este escrito la experiencia que tuvo en un concurso de peso de ganado en la Feria de Ganadería de Plymouth. Cuenta que un buey corpulento había sido seleccionado para la competición y estaba expuesto ante un numeroso grupo de asistentes ansiosos por adivinar en una pequeña apuesta el peso del animal. Unas 800 personas compraron por seis céntimos un boleto numerado en el que escribían su nombre y las libras que calculaban que pesaba la res. Unos eran expertos en ganado mientras que otros eran simples visitantes de la feria sin conocimiento del tema. Una vez recogidas las papeletas, el juez anunció que el peso del buey era 1.198 libras. Desafortunadamente no hubo premio, pues ninguno de los apostantes se había aproximado a esta cifra. Seguidamente Galton recogió todas las papeletas y sacó la media de los pesos que habían calculado todos los participantes. El resultado le impresionó: 1.197 libras. La opinión de la gente, en su conjunto, había sido la más acertada.

DEPORTE

> «Un caballo nunca corre tan deprisa como cuando tiene otros caballos que alcanzar y adelantar».
>
> OVIDIO,
> *El arte del amor*, 8 d.C.

Los hombres y mujeres que son entusiastas de algún deporte suelen ser más optimistas que pesimistas. Lo que todavía se desconoce es si esta relación es una coincidencia o se trata de una conexión causa-efecto. No sabemos si la afición al deporte estimula el pensamiento positivo en las personas, o es el talante positivo lo que predispone a las personas a seguir de cerca algún deporte.

Entender cómo influye el optimismo en el mundo de los deportes nos puede ayudar a moldear nuestra disposición a enfrentarnos con situaciones competitivas y exigentes en nuestro día a día, especialmente si requieren de nosotros una dosis generosa de tenacidad y motivación.

La confianza en sí mismos y en sus facultades abunda entre los deportistas. Si hacemos la prueba de sentarnos con un grupo de veinte deportistas igualmente cualificados y pedimos a cada uno que apunte en un papel su posición jerárquica, calificándola del uno al veinte con respecto a su clase y talento en comparación con sus colegas presentes, dieciocho se posicionan entre los diez primeros puestos, o sea el 90 por ciento se sitúa en la mitad superior. La mayoría no es consciente de que compiten con atletas que también se consideran los más capacitados. Esto explica el que en el mundo del deporte profesional sean muchos más los atletas que se consideran los mejores que los que verdaderamente lo son.

Con todo, los niveles de optimismo varían entre los atletas y entre los equipos. Después de leer y analizar metódicamente el contenido de varios cientos de noticias deportivas y de otros tantos resultados de partidos, Martin Seligman y sus colegas llegaron a tres conclusiones. La primera es que en las mismas condiciones físicas, el atleta de talante más optimista gana, porque pone más esfuerzo en vencer la competición, especialmente en circunstancias difíciles o de desventaja. La segunda es la misma idea aplicada al equipo. Es decir, si en preparación y capacidad los jugadores están muy igualados, el equipo más optimista gana, sobre todo en partidos muy reñidos. La tercera conclusión, o mejor dicho predicción, es que cuando un atleta aumenta su nivel de optimismo, también aumentan sus posibilidades de ganar.

Hay equipos compuestos de grandes figuras que por circunstancias diversas se infectan de pesimismo, lo que va minando la confianza y el entusiasmo para competir en pruebas difíciles. Esto es lo que los entrenadores llaman «un problema de actitud». Manifiestan el pesimismo en la tendencia a ignorar o minimizar la importancia de sus éxitos anteriores con frases como «El año pasado ganamos la Liga porque tuvimos suerte y el Barça nos lo puso en bandeja». También lo expresan en las explicaciones que los deportistas dan a sus fallos presentes: «Sé que debería haber metido ese gol, pero creo que estoy perdiendo reflejos, me cuesta concentrarme». Además, se hace evidente en la disposición derrotista que demuestran hacia el futuro: «Perdemos y seguiremos perdiendo porque no marcamos. Seamos realistas ¡qué demonios!».

El optimismo favorece la predisposición a arriesgarse. De hecho, las noticias de los diarios ofrecen muchos ejemplos de deportistas muy optimistas que minimizan las posibilidades de fracaso y se marcan expectativas casi inalcanzables. Aunque esta forma de actuar tiene sus peligros, no cabe duda de que nadie bate un récord sin grandes dosis de audacia y confianza. Con todo, la principal ventaja del optimismo se refleja en la resistencia al sufrimiento físico y al decaimiento mental, y la persistencia para conseguir el triunfo.

Aunque la confianza optimista anima a los atletas a aceptar competiciones que pueden ser demasiado fuertes para ellos, es una actitud muy útil una vez que comienza la prueba. La esperanza de victoria alimenta el esfuerzo, la seguridad y el tesón ante la amenaza de derrota y, por tanto, eleva las posibilidades de éxito. Los deportistas optimistas se crecen en la desventaja, como ilustra un experimento en la universidad californiana de Berkeley. Un grupo de nadadores fueron informados por sus entrenadores después de una competición de que sus tiempos habían sido peores de lo que realmente fueron. Ante este revés, los nadadores considerados optimistas mejoraron su marca en la siguiente carrera. Por el contrario, los atletas pesimistas empeoraron sus marcas.

Una característica de los deportes competitivos es que los jugadores no tienen la opción de abandonar, incluso cuando la derrota es casi segura. En estas circunstancias, la insistencia pertinaz contra todo pronóstico sólo puede ser beneficiosa. La situación es más complicada cuando abandonar el campo es una alternativa y continuar la lucha puede ser una opción muy costosa. En estas condiciones no resulta fácil distinguir la perseverancia justificada del empeño irracional.

Otra ventaja del optimismo en situaciones competitivas que se refleja externamente es la intimidación del contrincante. Es algo reconocido que la apariencia de total confianza en uno mismo suele ser rentable, tanto en los juegos como en las negociaciones y en los conflictos entre las personas.

Un hecho curioso es que el talante de los deportistas se contagia a sus hinchas. Numerosos estudios demuestran que los seguidores incondicionales se conectan psicológicamente a sus ídolos, hasta el punto de que viéndolos en acción experimentan cambios de estado de ánimo similares. Esto también ocurre fuera del deporte. En situaciones intensas, en las que formamos parte de un grupo solidario y nos jugamos el triunfo y el fracaso, la autoestima, el optimismo y la confianza en uno mismo se transmiten y sincronizan entre los miembros del grupo.

«Es mejor encender una vela que maldecir la oscuridad».
CONFUCIO, 500 a.C.

Los problemas de salud ponen a prueba nuestra visión favorable de la vida, pero también iluminan la utilidad del optimismo. Estoy convencido de que el pensamiento positivo es un requisito fundamental para cualquiera que esté interesado en la práctica de la medicina y sus diferentes ramas.

Si bien, personalmente, no creo que haya nada más fascinante que el funcionamiento del cuerpo humano, la tarea de los profesionales de la salud no es tanto admirar las maravillas del organismo lozano sino auxiliar a personas que sufren física y mentalmente los efectos de sus averías. Pocas condiciones provocan en las personas sentimientos tan profundos y desconcertantes de vulnerabilidad, indefensión y angustia como las enfermedades. Por ello, la natural compasión hacia el dolor ajeno y la empatía, o capacidad de ponerse en las circunstancias de los demás, hacen que los médicos y sus colegas sanitarios inevitablemente sean conmocionados por el contagioso estrés de sus pacientes. Bajo estas circunstancias, la perspectiva optimista se convierte en un protector muy útil.

Como he podido comprobar, todos o casi todos los hombres y mujeres que decidimos un día dedicarnos a la medicina descubrimos muy pronto los beneficios del optimismo. Para empezar, durante los años de aprendices necesitamos una buena dosis de pensamiento positivo, pues somos angustiosamente conscientes del peaje penoso que, como consecuencia de nuestra impericia, los enfermos se ven obligados a pagar. Si bien los efectos secundarios de la inexperiencia de los médicos novatos atañen a todas las especialidades, quizá se hayan cuantificado más en cirugía. Por ejemplo, las estadísticas demuestran que cirujanos que se embarcan en una nueva técnica —como colecistectomía laparoscópica o extirpación de la vesícula biliar enferma mediante un instrumento que se introduce en el abdomen través de una pequeña abertura— necesitan operar por lo menos a treinta pacientes antes de alcanzar un nivel aceptable de competencia profesional y un mínimo de complicaciones. Ante este panorama, los mecanismos psicológicos de defensa y las racionalizaciones optimistas son imprescindibles para el cirujano principiante, y desde luego para el enfermo si es consciente de su riesgo.

Es preciso ponerse en guardia contra los doctores que exultan un optimismo ilusorio acerca de su verdadera competencia o una euforia imprudente en relación con remedios cuya eficacia no ha sido suficientemente probada, porque pueden ser peligrosos. No pasa mucho tiempo sin que se publique alguna noticia sobre las consecuencias desafortunadas de decisiones médicas tan triunfalistas como insensatas.

La premisa de que «la experiencia es la madre de la ciencia» no es sólo válida en el campo de la medicina, sino que también se aplica a muchas otras profesiones en las que la práctica es la base del dominio del oficio —por ejemplo, pilotos, bomberos, ingenieros, inversionistas, farmacéuticos, arquitectos, abogados, policías o conductores de vehículos—. En todas ellas, el necesario periodo de aprendizaje implica un riesgo para el propio profesional y sobre todo para sus confiados clientes. Bajo estas circunstancias, una buena receta es abundante pensamiento positivo junto con una generosa ración de prudencia.

Para mantener la eficacia profesional es importante que el médico ponga en perspectiva el sufrimiento del paciente, con el fin de mantener la objetividad necesaria para evaluar con lucidez su condición. Igualmente importante es que esta perspectiva objetiva no obstaculice la capacidad del facultativo de transmitir al doliente su confianza y su solidaridad para derrotar juntos al enemigo común, la enfermedad.

Cuando la expectativa positiva del enfermo se complementa con la comunicación implícita de confianza por parte del médico, la posibilidad de que el paciente responda al tratamiento aumenta considerablemente. Esto se puso de manifiesto en un interesante experimento llevado a cabo hace unos años por el especialista estadounidense en dolor Richard Gracely. Este investigador seleccionó sesenta pacientes voluntarios a quienes se les iba a extraer una muela del juicio, y les advirtió de que para calmar el dolor después de la extracción unos recibirían al azar un placebo y otros un calmante. Los dentistas, sin embargo, fueron informados de que a los primeros treinta pacientes debían recetarles un calmante y a los otros treinta un placebo, aunque no deberían revelarlo. En realidad, sin que los dentistas ni los pacientes lo supieran, los sesenta pacientes recibieron placebo. Al final del experimento, los primeros treinta pacientes, a quienes los dentistas pensaban que habían recetado un analgésico, se sintieron mucho más aliviados del dolor que los otros treinta pacientes a quienes los doctores pensaban que habían dispensado un placebo. Cuando los médicos están convencidos de que sus técnicas son eficaces y comunican esperanza a los pacientes, se unen las expectativas positivas del médico y del paciente y aumentan las posibilidades de mejoría incluso en respuesta a una sustancia inerte.

En nuestra era de énfasis en la alta tecnología médica los factores emocionales son con demasiada frecuencia ignorados por los profesionales, a pesar de que su impacto puede ser de vida o muerte. No faltan médicos que miran la relación entre la mente y el cuerpo con escepticismo. Son doctores que opinan que animar y esperanzar al paciente es irrelevante para la eficacia de la intervención. Sostienen que, independientemente de estos apoyos emocionales, la mayoría de los enfermos consigue mejorar gracias a los adelantos de la ciencia médica. A estas actitudes hay que añadir la influencia derrotista del ambiente de trabajo en sistemas sanitarios saturados y agobiantes, materializado en la tiranía de los horarios apretados, en las onerosas regulaciones burocráticas, y en el antagonismo entre proveedores y clientes. Son demasiados los doctores que se sienten atrapados y maltratados por el sistema sanitario. Se consideran mal retribuidos, faltos de tiempo y de energía para hablar sosegadamente con los enfermos a su cargo y transmitirles tranquilidad y confianza.

Otro beneficio de la disposición optimista en medicina es que alimenta la motivación del médico para tratar esperanzadamente a enfermos incurables o muy graves. El talante optimista también ayuda a los especialistas en enfermedades de alta mortalidad, por ejemplo los oncólogos, a no caer en la desmoralización cuando los resultados de sus intervenciones son previsiblemente pobres. El optimismo de estos médicos los protege del reparo natural a involucrarse emocional y profesionalmente con enfermos de alto riesgo. Esto es positivo, pues la verdadera utilidad de los médicos se hace especialmente evidente cuando prestan sus servicios a pacientes, con independencia de sus posibilidades de cura.

De hecho, una de las situaciones en las que la actitud positiva del médico se pone más a prueba es ante los enfermos incurables. Por ejemplo, en la última década se ha generalizado la conciencia de que es importante evitar la conspiración de silencio, disimulo y engaño que a menudo rodea a estos pacientes. Como consecuencia, cada día es más común que el médico informe al enfermo del diagnóstico. En esta situación la información más beneficiosa es la que explica el problema de una forma clara, equilibrada y completa, además de incluir las opciones para tratar la dolencia e ir acompañada de una actitud comprensiva, compasiva y esperanzadora.

Esto me hace recordar a Manuel, un buen amigo de mi edad que durante varios meses estuvo aquejado de una tos muy rebelde. Un día me pidió que le acompañara a una cita con el especialista para informarse del resultado de una biopsia de pulmón que le habían hecho. Una vez en la consulta, el médico le invitó a sentarse y con voz tranquila y firme que transmitía afecto y certeza le dijo: «Manuel, es cáncer. Lo siento. Pero tenemos suerte porque el tumor es aún pequeño. Tengo un plan de tratamiento que da buenos resultados en el 50 por ciento de los casos como el tuyo. Si te parece bien, lucharemos juntos». Mi amigo, como era de esperar, tuvo que superar un doloroso periodo de aturdimiento, rabia, desesperanza y miedo, pero no tardó en recuperar las ansias de vivir, lo que le motivó a participar con optimismo en un duro régimen de quimioterapia y a perseguir durante cuatro años con tenacidad la curación. Aunque Manuel sucumbió finalmente ante el cáncer, días antes de morir me confesó que se sentía orgulloso de su lucha, y contento por haber logrado prolongar su vida. Sus últimos años, me dijo, le habían dado la oportunidad de cerrar viejas heridas y descubrir en él mismo fuerzas y cualidades que hasta entonces habían permanecido ocultas.

Desafortunadamente, no faltan médicos pesimistas que ante enfermos graves pasan por alto las probabilidades, aunque mínimas, de sanar —que casi siempre las hay— y se limitan a informarles del pronóstico descorazonador. Unos justifican su derrotismo con su devoción a «la verdad», otros dicen «curarse en salud» decididos a no crear en el paciente expectativas de mejora que ellos consideran poco realistas, aunque en verdad construyeron su pronóstico seleccionando las bases más pesimistas.

Es evidente que el optimismo es un ingrediente esencial de la buena práctica de la medicina y demás disciplinas de la salud. Es un arte de palabras, sentimientos y actitudes. El profesional lo expresa con confianza, ánimo y solidaridad, lo que a su vez provoca en el paciente seguridad, esperanza y motivación para luchar contra la enfermedad.

CUANDO EL OPTIMISMO ES NOTICIA

«El verdadero optimismo sólo brilla en las tragedias».
MADELEINE L'ENGLE,
Una arruga en el tiempo, 1935

Los periodistas son profesionales de la información que se dedican a seleccionar y difundir lo que es noticia. Entre las características de personalidad más útiles para ejercer esta profesión —algunas de las cuales, por cierto, también se aplican a los psiquiatras— resaltan la curiosidad, el espíritu inquisitivo, la atracción por la novedad y la aventura, la energía, el sentido del humor, la capacidad de escuchar, la tendencia a disfrutar de los chismes o de ser cautivado por las conspiraciones, y el aguante ante las contrariedades y las derrotas. Dado lo que ya sabemos sobre el optimismo, creo que no hace falta ahondar en por qué el talante positivo es ventajoso a la hora de practicar con éxito este oficio. Sólo quiero resaltar que, en mi experiencia con miembros muy queridos de este gremio, he podido comprobar que los ingredientes del optimismo les son especialmente valiosos a la hora de protegerse de los efectos estresantes de las desgracias humanas que a menudo cubren.

Los expertos en comunicación son muy conscientes de la proverbial fascinación que sentimos los seres humanos por las calamidades y desventuras que acosan a nuestros compañeros de vida. Este conocimiento explica el hecho de que los medios estén recordándonos día y noche los percances más violentos y penosos que ocurren en el mundo. En consecuencia, parece que pasamos más tiempo amargados por las noticias de desastres aberrantes y puntuales que celebrando los buenos momentos que continuamente nos depara la vida.

Mientras pensaba sobre esta cuestión, se me ocurrió que sería interesante explorar el valor como noticia del optimismo. Con ayuda de un par de colegas, ambos expertos en explorar el mundo a través de internet, realizamos un análisis de artículos aparecidos en 2004, en una muestra de periódicos de varios países de Occidente. Para mi sorpresa, del 1 de enero al 31 de diciembre de ese año el término «optimismo» apareció en los diez diarios examinados un total de 6.619 ocasiones, y el término «pesimismo», 1.983, lo que supone un promedio tres veces mayor. En concreto, *El País* imprimió optimismo 736 veces y pesimismo sólo 218, en *The New York Times* el optimismo ganó al pesimismo por 834 a 132, en *El Mundo* por 1.576 a 609, en *The Washington Post* el resultado fue 618 a 100, en *ABC* 595 a 154, en *El Universal* de México 424 a 70, en *Le Monde* 441 a 401, en *Corriere Della Sera* 63 a 14, en *La Vanguardia* 752 a 212, y en *La Nación* de Argentina 580 a 73.

Mi primera reacción de extrañeza se debió a que, según las normas que parecen gobernar la información periodística, el optimismo, a simple vista, no cuenta como noticia. Que yo sepa, hay dos reglas generales. Una es cualitativa y se basa en la consabida premisa de que las buenas noticias no son noticia. La segunda es cuantitativa y se fundamenta en la simple fórmula de que a más alta la probabilidad de que algo ocurra, menos valor posee como noticia. Como hemos visto a lo largo de estas páginas, la disposición optimista es una cualidad positiva y frecuente del carácter de las personas, aunque a veces pase desapercibida, por lo que no cumple con los preceptos que dan prioridad en el noticiario a los eventos negativos o novedosos.

No hace mucho tropecé inesperadamente con la clave que explica que la visión optimista, pese a ser algo bueno y corriente, bajo ciertas condiciones, fascine a los periodistas y a sus lectores. Me encontraba explicando a un grupo de estudiantes la relación que existe entre el temperamento de las personas y la esperanza de vida. Para impresionarles, les enseñé varios estudios que demostraban que los jóvenes catalogados de pesimistas padecen mayor riesgo estadístico de muerte que los optimistas. Sin embargo, ante estos interesantes datos mis alumnos se mantuvieron impasibles. No veían nada insólito ni sugestivo en el hecho de que el pesimismo tuviese efectos tóxicos. Seguidamente les mostré otros artículos científicos en los que se revelaba que el temperamento optimista siempre mejora, y en muchos casos también alarga, la vida de enfermos graves de corazón, de cáncer, de esclerosis múltiple y de sida. Estos artículos, por el contrario, sí les llamaron mucho la atención. Después de dialogar un buen rato, llegamos a la conclusión de que el optimismo fascina especialmente y es noticia en circunstancias de adversidad.

Para verificar esta suposición, les pedí a mis amables colegas que habían explorado los diarios en busca del término «optimismo», que analizaran el contenido de las noticias, con el fin de dilucidar el contexto en el que aparecía. Su análisis reveló dos datos interesantes. El primero fue que los periodistas utilizan el concepto de optimismo mayoritariamente en las noticias de economía, de política y de deportes. Estas tres actividades son muy dinámicas y públicas, y tienen en común la acción, el rendimiento, el riesgo, la competitividad, la inseguridad, la vehemencia, la tenacidad, la ambición, los ganadores y los perdedores. Son escenarios de la vida en los que la disposición optimista de los protagonistas y sus seguidores juega un papel muy importante en la situación y en su desenlace. El segundo dato corroboró la sospecha de que el optimismo es más noticia en historias de contextos negativos. Concretamente, mientras el 60 por ciento de los artículos sobre temas negativos contenían el vocablo «optimismo», sólo el 40 por ciento de los que trataban eventos positivos lo incluían.

Quizá ésta fuese la idea que movió a Stephen Jay Gould, profesor de Antropología de la Universidad de Harvard, a considerar que el optimismo es un arma defensiva esencialmente «trágica». Según él, constituye un escudo eficaz pero de último recurso, pues solamente lo usamos cuando nos sentimos abrumados por situaciones calamitosas que fuimos incapaces de prevenir.

Es posible que en 2004 las actitudes optimistas fueran más noticia que las pesimistas porque resplandecían en un planeta ensombrecido por las desgracias. Para empezar, heredamos de 2003 una despiadada lista de calamidades: las mortíferas guerras revanchistas de Irak y Afganistán; los encarnizados ajustes de cuentas en Oriente Próximo; el hundimiento por corrupción de grandes empresas, como Enron, Parmalat o WorldCom, que pulverizaron los ahorros de toda una vida de miles de familias; las secuelas conmovedoras de los abusos sexuales perpetrados por cientos de curas desalmados contra más de 10.500 niños (sólo en EE UU); o los efectos devastadores del terremoto de Bam (Irán), en el que perecieron unas 30.000 personas. Y nada más comenzar 2004, el mundo fue convulsionado por nuevas atrocidades, como la masacre terrorista en los trenes de cercanías de Madrid; la matanza de cientos de almas inocentes por rebeldes en el sur de Tailandia y en Nigeria; las torturas a prisioneros iraquíes indefensos por soldados estadounidenses; los asesinatos y violaciones de cientos de miles de mujeres y niños por milicias en Sudán; los huracanes *Iván* y *Charley*, que desolaron los pueblos costeros de Cuba, Jamaica y Florida; los cientos de niños asesinados por terroristas chechenos en un colegio de Beslan; y el maremoto apocalíptico en el golfo de Bengala que cinco días antes de Nochevieja se cobró más de 200.000 vidas en once países del sureste de Asia.

Justamente en medio de esta abrumadora catástrofe, el 3 de enero de 2005, periodistas en todo el mundo consideraron noticia e imprimieron el comentario que había hecho el día anterior Jan Egeland, coordinador de Naciones Unidas para la ayuda a las víctimas del maremoto del océano Índico, en relación al progreso en los esfuerzos de socorro a los países afectados: «Las buenas noticias llegan cada hora. Hoy soy más optimista que ayer y mucho más que anteayer respecto a que la comunidad global será capaz de enfrentarse a este enorme desafío».

Sospecho que las noticias de optimismo no sólo sirven para iluminarnos en las tinieblas del dolor, la injusticia y la violencia, sino que constituyen el signo más seguro y esperanzador de que, una vez más, la humanidad logrará superar la desventura.

OPTIMISMO Y ADVERSIDAD

Pregunta: «Con su extraordinaria erudición, ¿por qué se molesta en escribir libros tan inteligibles sobre los misterios del universo?».

Stephen Hawking: «Quiero que mis libros se vendan en los quioscos de los aeropuertos».

P: «¿Está usted siempre de tan buen humor?».

SH: «La vida sería trágica si no fuese divertida».

P: «Ahora en serio, ¿cómo se mantiene optimista?».

SH: «Mis expectativas se redujeron a cero cuando tenía 21 años. Desde entonces todo en mi vida han sido pluses».

DEBORAH SOLOMON,
Entrevista a Stephen Hawking,
The New York Times, 12 de diciembre de 2004

Nacido en Oxford, Inglaterra, en 1942, Stephen Hawking está considerado el físico teórico más importante de nuestro tiempo. A los 21 años se vio afectado por esclerosis lateral amiotrófica, una enfermedad incurable que destruye gradualmente las neuronas motoras encargadas de controlar los músculos. Inmovilizado e incapaz de hablar, se desplaza en una silla de ruedas y se comunica a través de un ordenador especial que dirige apretando un solo botón con una mano. Con este método, Hawking ha logrado dictar varios libros de astrofísica, de fácil lectura, en los que explica las principales leyes que gobiernan el cosmos.

La capacidad para resistir y superar calamidades se configura de atributos físicos y emocionales naturales. Los seres humanos tenemos una enorme aptitud para ajustarnos a las circunstancias y recuperarnos emocionalmente de las derrotas. Son muchas las víctimas de desastres que afirman que se conocen mejor como resultado de su infortunio, se consideran mejores personas y valoran más sus vidas. Con todo, hay golpes más fáciles de asimilar y de poner en perspectiva que otros. Por ejemplo, es más sencillo encontrar sentido y aceptar la muerte de un abuelo de 86 años que la de un hijo de nueve.

No todas las personas gozan de la misma capacidad de recuperación. Aparte del papel que desempeñan los genes que heredamos y de nuestra manera de ser, la aptitud para superar las desgracias depende también del significado que le demos a la situación que nos aflige y de nuestras expectativas. Por ejemplo, como consecuencia de los espectaculares avances científicos, tecnológicos, sociales y políticos que han experimentado muchos países, especialmente de Occidente, cada día más personas mantienen altas perspectivas de seguridad, de controlar su entorno, de dirigir su programa cotidiano y de vivir una vida completa y saludable. Pero precisamente por ello también acusamos tanto los azotes inesperados y los sentimientos de incertidumbre y vulnerabilidad.

Está ampliamente demostrado que las personas de temperamento optimista superan mejor las adversidades que las pesimistas, desde dolencias graves hasta cambios duros en sus vidas, como el divorcio, la bancarrota, el paro o la emigración a otro país. La ventaja del optimismo ante la adversidad es independiente de la edad, el sexo, la inteligencia, el nivel de formación o los recursos económicos. Los resultados de cientos de estudios llevados a cabo en diferentes países coinciden en que la confianza en uno mismo, la capacidad de interpretar los sucesos de una forma positiva y, sobre todo, la esperanza nos protegen de los efectos nocivos de los infortunios.

Los individuos optimistas confían más en su capacidad para encontrar una solución que los pesimistas, por lo que perseveran con más tesón. La sensación de que controlan las circunstancias también les ayuda a mantener el equilibrio emocional, aunque en realidad el control sea muy limitado o incluso ficticio. La experta psicóloga Lisa Aspinwall ha demostrado que los hombres y mujeres optimistas se muestran más abiertos a buscar información sobre sucesos que les preocupan, y antes de tomar decisiones importantes, sopesan tanto los aspectos positivos como los negativos, mientras que los pesimistas se limitan a ver únicamente los aspectos negativos. Esta tendencia es beneficiosa, porque el gran enemigo de muchas personas abrumadas por las circunstancias no es tanto la gravedad de su situación como sus temores aciagos imaginarios. Como escribió el autor estadounidense Elbert Hubbard en *El cuaderno de notas* (1927), «Si los mayores placeres son los que nos figuramos, acuérdense de que sucede lo mismo con los peores disgustos». Además, enterarse de qué es lo que realmente ocurre y cuál es la mejor forma de responder a la coyuntura ayuda a mantener los pies sobre la tierra. Los peores avatares de la vida se hacen más llevaderos si uno cuenta con la perspectiva que da conocer sus causas, sus efectos y sus remedios.

La extraversión es un rasgo ventajoso muy común en las personalidades optimistas. A través de la palabra validamos lo que sentimos y nos desahogamos. Conversar y expresar nuestras emociones es una forma saludable de organizar los pensamientos y de aliviar la angustia o el miedo. Ante los retos más penosos todos necesitamos escucharnos en voz alta, ser escuchados, y recibir aliento de otras personas. Las desdichas son para compartirlas. La unión y la conversación con otros estimulan el sentimiento de universalidad, la sensación de que «no soy el único», y animan a formular interpretaciones provechosas que alivian el estrés generado por las calamidades.

La compañía amistosa nos provee además de consuelo y seguridad y, con un poco de suerte, saca a flote el sentido del humor. Este componente protector nos ayuda a defendernos de la ansiedad y a resistir el abatimiento que producen las adversidades prolongadas. Fue durante su terrible experiencia en el campo de concentración cuando Viktor E. Frankl se dio cuenta del efecto reparador del buen humor. «El humor —escribió— es una de las armas con las que el alma lucha por su supervivencia. Yo mismo entrené a un amigo que trabajaba a mi lado en el campo de concentración a inventarse cada día una historia divertida sobre algún incidente que pudiera suceder al día siguiente de nuestra liberación...». Hoy está demostrado que el humor actúa de purgante con la función primordial de descargar la tensión emocional. Incluso el humor negro alegra nuestra vida y la de las personas que nos rodean. Y si además provoca en nosotros el reflejo fascinante de la risa, nos ayuda a oxigenarnos física y emocionalmente.

El ingrediente del optimismo más eficaz en los momentos difíciles es la esperanza. En medio de privaciones y sufrimientos todos buscamos promesas de alivio, de descanso y de curación. Nos mantenemos animados gracias a que esperamos que lo que nos aflige pasará. Hay personas que durante las crisis alimentan su confianza con espiritualidad. La fe en un «más allá» seguro y placentero ayuda a tolerar mejor el sufrimiento. Por eso, desde la antigüedad la creencia en algo superior, ya fuese divino, mágico, físico o humano, ha florecido en todas las culturas, particularmente en épocas penosas.

También es verdad que la conciencia de caducidad empuja a mucha gente a luchar por sobrevivir con una intensidad especial. En el mes de marzo de 2004, Eric Lemarque, el famoso jugador francés de jockey sobre hielo de 34 años, tuvo un accidente y estuvo perdido durante una semana, malherido y con escaso abrigo en la montaña helada Mammoth, en California. Al ser rescatado explicó a los sorprendidos socorristas: «Para no rendirme soñaba todas las noches que me rescataban, pensaba una y otra vez que mi situación era un simple juego de ordenador y en cualquier momento alguien apretaría el botón de reinicio y terminaría».

La esperanza también es un arma que los líderes sociales pueden usar eficazmente en coyunturas adversas. Un ejemplo es la lucha por la igualdad de derechos de la minoría de raza negra en Estados Unidos hace unos cuarenta años. El espíritu esperanzador de este movimiento masivo y pacífico se personificó en su carismático líder Martin Luther King, Jr., y se propagó a través de sus conmovedoras palabras. Quizá el discurso más famoso fue el que pronunció el 28 de agosto de 1963, en la manifestación de protesta multitudinaria en Washington: «Yo tengo un sueño... Sueño que un día esta nación se levantará y vivirá el verdadero significado de su credo:

"Afirmamos que todos los hombres son creados iguales". Sueño que un día, en las rojas colinas de Georgia, los hijos de los antiguos esclavos y los hijos de los antiguos dueños de esclavos se sentarán juntos a la mesa de la hermandad. Sueño que un día mis cuatro hijos vivirán en un país donde no serán juzgados por el color de su piel, sino por su carácter… Ésta es nuestra ilusión. Ésta es la fe con la que esculpiremos la roca de la esperanza en la montaña de la desesperación. Con esta fe podremos trasformar el sonido discordante de nuestra nación en una hermosa sinfonía de fraternidad…».

Cinco años más tarde, King fue asesinado por un francotirador en el balcón de un hotel de la ciudad de Memphis. Treinta años después, el *apartheid*, la política oficial de segregación racial en la República Sudafricana fue abolida, y hoy las prácticas discriminatorias racistas son universalmente condenadas y juzgadas inaceptables. Pese a este avance reparador, el racismo y sus secuelas sociales, económicas y de salud pública siguen siendo evidentes en Estados Unidos, en Europa y en la gran mayoría de los pueblos del mundo.

Otro aspecto positivo de la actitud optimista es que con el tiempo estimula a los damnificados de las calamidades más funestas a soltar amarras, a liberarse del rencor y del papel de víctima, a pasar la página dolorosa de su autobiografía, retomar el timón del barco de su vida, y perseguir con entusiasmo nuevas metas. Este proceso de liberación es además bueno para la salud. Como demuestran los estudios ya mencionados del psicólogo Fred Luskin y sus colegas, beneficia al corazón, a la presión arterial, al sistema inmunológico y reduce la tensión nerviosa.

Muchos adultos experimentan efectos beneficiosos a largo plazo después de sufrir traumas serios, desde enfermedades graves a desastres naturales, pasando por accidentes, combates militares, agresiones, y pérdida de seres queridos. Desde los albores de la civilización se ha propagado la idea de que a través de la adversidad se puede obtener la recompensa. Quizá esta creencia sea el origen de la sentencia popular de que «no hay mal que por bien no venga», o del viejo proverbio chino, «abundantes beneficios esperan a quienes descubren el secreto de encontrar la oportunidad en la crisis».

En una revisión de unos cuarenta estudios científicos recientes sobre los cambios positivos que experimentan algunas personas después de vivir una situación traumática, los psicólogos de la Universidad de Warwick (Reino Unido), Alex Linley y Stephen Joseph, llegaron a la conclusión de que existe un «crecimiento postraumático». Igualmente, las investigaciones de Susan Nolen-Hoeksema, profesora de Psicología de la Universidad estadounidense de Michigan, y otros colegas, sobre los efectos de la muerte de seres queridos, demuestran consistentemente que alrededor del 75 por ciento de los familiares del difunto saca algo positivo de su dolorosa pérdida. Todos conocemos personas para quienes el proceso de duelo da lugar a algún cambio saludable en su personalidad. Entre los beneficios más frecuentes se encuentran el fortalecimiento de las relaciones con los demás y la capacidad de ponerse en las circunstancias de otros. Algunos descubren en ellos mismos facetas creativas o altruistas que desconocían. Otros afirman que disfrutan más que antes de las pequeñas cosas que ofrece el día a día.

* * *

En las décadas que llevo estudiando el comportamiento humano he podido comprobar que si uno observa y escucha con serenidad a sus compañeros de vida, es fácil llegar a la conclusión de que abundan los hombres y las mujeres de cualquier edad, estrato social y país, que se inclinan a captar el lado positivo de las experiencias pasadas y de las vicisitudes presentes, tienden a pensar que los problemas se solucionarán, e incluso cuando son víctimas de penosos reveses extraen de ellos algún provecho. Son personas que disfrutan del espectáculo y las alegrías que ofrece el universo, se sienten razonablemente satisfechas, y declaran con sinceridad que la vida, en su conjunto, merece la pena.

Este hecho no debería sorprender. Después de todo, desde el amanecer de la humanidad la fuerza del optimismo ha impulsado a los seres humanos a ejercer con ilusión el arte del emparejamiento, a resistir con firmeza la adversidad, y a promover el progreso y el bien común. Por todo esto, el optimismo es un atributo natural muy valioso, al que los genes encargados de la supervivencia de la especie no han tenido más remedio que proteger y conferir el tratamiento preferencial que se merece.

Entender el temperamento optimista, sus raíces, sus ingredientes y sus aplicaciones es una tarea verdaderamente relevante. Y aprender a sentir y a razonar en positivo es, con seguridad, una inversión rentable. Pienso así porque para desarrollar al máximo las posibilidades de vivir sanos y contentos no sólo hay que ganarle la batalla a las enfermedades, sino que también es importante nutrir los rasgos saludables de nuestra naturaleza y robustecer el sistema inmunológico, encargado de protegernos de las agresiones físicas y mentales que sufrimos durante nuestro paso por el mundo.

Jonas E. Salk, el biólogo neoyorquino que en 1952 descubrió la vacuna contra el mortífero virus de la poliomielitis, ensalzó personalmente la importancia de fortalecer las defensas naturales que nos amparan contra la desesperanza, la indolencia y el fatalismo cuando a sus 70 años afirmó: «Si hoy fuese yo un joven científico, seguiría trabajando en el campo de la microbiología. Pero en lugar de vacunar a las personas contra las infecciones, las inmunizaría psicológicamente para que resistan mejor los males de la mente». Si yo hubiera estado entonces en presencia del doctor Salk, le habría dicho que la vacuna más eficaz es la fuerza del optimismo.

Labor de muchos

«Nadie puede silbar solo una sinfonía. Es necesaria una orquesta».

HALFORD E. LUCCOCK,
365 ventanas, 1943

De despedida, queridos lectores, quiero deciros que, a diferencia de algunos colegas que se inspiran en la soledad y eligen anotar sus pensamientos y emociones en un ambiente de tranquilidad y recogimiento, yo prefiero hacerlo en compañía, a poder ser en medio del bullicio de una comunidad curiosa e indulgente. Por eso, me complace dar las gracias a un grupo de personas muy queridas que me han ayudado con su estímulo y múltiples sugerencias en este proyecto. Sus nombres, siguiendo el abecedario, son Paula Eagle, Mercedes Hervás, Isabel Piquer y Gustavo Valverde. También quiero expresar mi agradecimiento a Rebeca González y a mi hijo Bruno por analizar cientos de noticias sobre optimismo y pesimismo en diarios de diversos países. Igualmente, mi sentimiento de gratitud a Santos López por sus consejos editoriales y a mis otros amigos de la editorial Aguilar, especialmente a mi editora, Ana Rosa Semprún, por darme su confianza y apoyo.

A mis apreciados colegas de la Fundación La Caixa les agradezco la oportunidad que me han brindado de participar en el desarrollo de novedosos y eficaces proyectos sociales y de salud pública. Programas como *Aprender a vivir*, *Familias canguro*, *Ciberaulas hospitalarias* para niños internados, y *La vida es cambio/ El cambio es vida* han sido para mí una fuente muy rica de inspiración. La razón es que el denominador común de todos ellos es la impresionante e inagotable carga de entusiasmo, esperanza y optimismo que los mueve.

En un radio de influencia más amplio, debo decir que he sido afortunado por contar con las ondas refrescantes que emanan los neoyorquinos, un pueblo abierto y generoso que hace casi cuatro décadas me acogió sin conocerme —ni entenderme— y por el que sólo siento cariño y gratitud. No creo que existan muchos rincones en el mundo donde se pueda discurrir sobre el pensamiento positivo mejor que en Nueva York. Después de todo, esta urbe universal, apodada cariñosamente por los músicos de *jazz* del siglo pasado «La Gran Manzana» —por considerarla el escenario ideal para inspirarse y expresar su arte—, es el paraíso de las aspiraciones y las oportunidades, un lugar único donde la esperanza del buen futuro siempre entierra al mal pasado. A la hora de investigar el optimismo, ¿se puede pedir más?

Referencias bibliográficas

1. EN BUSCA DEL OPTIMISMO

FREUD, Sigmund: *El malestar en la cultura* (1930), Alianza Editorial, Madrid, 1970.

—: *Por qué la guerra, carta a Albert Einstein* (1932), Hogarth Press, Londres, 1964.

FROMM, Erich: *El arte de amar* (1956), Paidós, Barcelona, 1992.

GILLHAM, Jane E. y SELIGMAN, Martin E.P.: «Footsteps on the road to positive psychology», *Behaviour Research and Therapy* 37 (1999): 163-173.

HORNEY, Karen: *Neurosis and human growth*, W.W. Norton, Nueva York, 1950.

JAMES, William: *The principles of psychology*, Dover Publications, Nueva York, 1918.

JONES, Ernest: *The life and work of Sigmund Freud*, Basic Books, Nueva York, 1961.

MYERS, David G.: *The pursuit of happiness*, Avon Books, Nueva York, 1992.

—: «The funds, friends and faith of happy people», *American Psychologist* 55 (2000): 56-67.

Rojas Marcos, Luis: *Aprender a vivir*, Fundación La Caixa, Barcelona, 1999.

—: *La vida es cambio. El cambio es vida*, Fundación La Caixa, Barcelona, 2004.

Salk, Jonas E.: *Anatomy of reality*, Columbia University Press, Nueva York, 1983.

Seligman, Martin E.P. y Cskszentmihalyi, Mihaly: «Positive psychology: an introduction», *American Psychologist* 55 (2000): 5-14.

Snyder, C. R. y López, Shane J.: *Handbook of positive psychology*, Oxford University Press, Nueva York, 2002.

Wundt, Wilhelm M.: *Principles of Physiological Psychology*, Periodical Services, Nueva York, 1910.

2. Orígenes del pensamiento positivo

Aristóteles: *Moral, a Nicómaco*, Colección Austral, Madrid, 1978.

Descartes, René: *Discourse on method and the meditations*, Penguin Books, Londres, 1968.

—: «The passions of the soul» (1649), en *The philosophical writings of Descartes*, Cambridge University Press, Nueva York, 1985.

Edgerton, Robert B.: *Sick societies: challenging the myth of primitive harmony*, Free Press, Nueva York, 1992.

Einstein, Albert: *The world as I see it* (1932), Citadel Press, Nueva York, 1993.

Fromkin, David: *The way of the world*, Alfred A. Knopf, Nueva York, 1999.

Keller, Helen: *Optimism*, T.Y. Crowell and Co., Nueva York, 1903.

—: *The story of my life* (1902). Encyclopedia Britannica, Chicago, Vol. 6, 1992.

KIERKEGAARD, Søren: *Journals and papers* (1846), Indiana, Bloomington, 1968.

LEBLANC, Steven: *Constant battles: the myth of the noble savage and the peaceful past*, St. Martin's Press, Nueva York, 2003.

LEIBNIZ, Gottfried: *Théodicée* (1710), Open Court, La Salle, 1996.

ORTEGA Y GASSET, José: *La rebelión de las masas*, Revista de Occidente, Madrid, 1930.

POPE, Alexander: *An essay on man* (1733), Dover, Nueva York, 1994.

RUSSELL, Bertrand: *La conquista de la felicidad*, Colección Austral, Madrid, 1999.

SARTRE, Jean-Paul: *Being and nothingness*, Gallimard, París, 1943.

SCHOPENHAUER, Arthur: *The world as will and representation*, Dover Publications, Nueva York, 1958.

TIGER, Lionel: *Optimism, the biology of hope*, Simon & Schuster, Nueva York, 1979.

UNAMUNO, Miguel de: *Del sentimiento trágico de la vida*, Alianza Editorial, Madrid, 1986.

VOLTAIRE, François Arouet: *Cándido o el optimismo*, Editorial Edaf, Madrid, 1994.

—: *Diccionario filosófico* (1764), Basic Books, Nueva York, 1962.

WILSON, David S.: *Darwin's cathedral: evolution, religion and the nature of society*, University of Chicago Press, Chicago, 2002.

3. LA CIENCIA DEL OPTIMISMO

FESTINGER, Leon: *A theory of cognitive dissonance*, Peterson, Evanston, Illinois, 1957.

FREUD, Sigmund: «Humour», *The International Journal of Psycho-analysis* 9 (1928): 1-6.

GRACIÁN, Baltasar: *El criticón*, Edición de Santos Alonso, Cátedra, Madrid, 2001.

HIROTO, D. S.: «Locus of control and learned helplessness», *Journal of Experimental Psychology* 102 (1974): 187-193.

MAIER, Steven y SELIGMAN, Martin: «Learned helplessness, theory and evidence», *Journal of Experimental Psychology* 105 (1976): 3-46.

MORRIS, Richard G. M.: «Spatial memory», *Learning and Motivation* 12 (1989): 239-260.

NOREM, Julie K.: *The positive power of negative thinking*, Basic Books, Nueva York, 2001.

PAVLOV, Iván P.: *Selected works (1889-1904)*, University Press of the Pacific, California, 2001.

RORSCHACH, Hermann: «Psychodiagnostik», *Arbeiten zur angewandten Psychiatrie*, Vol. 2, Bircher, Berna, 1921.

RUBIN, David C.: *Remembering our past: studies in autobiographical memory*, Cambridge University Press, Nueva York, 1995.

SANDERSON, William C. y otros: «The influence of an illusion of control on the panic attacks induced via inhalation of 5.5% carbon dioxide-enriched air», *Archives of General Psychiatry* 46 (1989): 157-162.

SELIGMAN, Martin E.P.: *Learned optimism*, A. A. Knopf, Nueva York, 1991.

THE, Anne-Mei y otros: «Communication to cancer patients about imminent death», *British Medical Journal*, 321 (2000): 1376-1381.

THOMPSON, Charles P. y otros: *Autobiographical memory*, Lawrence Erlbaum, Nueva Jersey, 1998.

VAUGHAN, Susan C.: *Half empty half full*, Harcourt, Nueva York, 2000.
WATSON, John B.: «The little Albert study», *Journal of Experimental Psychology* 3 (1920): 1-14.

4. INGREDIENTES DE LA DISPOSICIÓN OPTIMISTA

BANDURA, Albert: *Social foundations of thought and action: A social cognitive theory*, Prentice-Hall, Englewood Cliffs, Nueva Jersey, 1986.
BLOOMFIELD, Harold: *Making peace with your past*, Quill, Nueva York, 2001.
GILLHAM, Jane E.: *The science of optimism and hope*, Templeton Foundation Press, Philadelphia, 2000.
LIGHTMAN, Alan: *Einstein Dreams*, Warner Books, Nueva York, 1993.
LITT, Mark D. y otros: «Coping factors in adaptation to in vitro fertilization failure», *Journal of Behavioral Medicine* 15 (1882): 171-187.
LUSKIN, Fred: *Forgive for good*, Harper, San Francisco, 2002.
MARÍAS, Julián: *La felicidad humana*, Alianza Editorial, Madrid, 1987.
PETERSON, Christopher y otros: «Optimistic explanatory style», *Positive Psychology*, editado por C.R. Snyder y Shane J. López, Oxford University Press, Nueva York, 2002.
SAVATER, Fernando: *El contenido de la felicidad*, Ediciones El País, Madrid, 1986.
SELIGMAN, Martin E.P.: *Learned optimism, Op.cit.*
SNYDER, C.R.: *Handbook of hope*, Academic Press, Nueva York, 2000.

—: «Development and validation of State Hope Scale», *Journal of Personality and Social Psychology* 2 (1996): 321-335.

TAYLOR, Shelley E.: *Positive illusions*, Basic Books, Nueva York, 1989.

TIGER, Lionel: *Optimism, the biology of hope, Op.cit.*

VAILLANT, George E.: «The mature defenses: antecedents of joy», *American Psychologist* 55 (2000): 89-98.

VEENHOVEN, Ruut: «The utility of happiness», *Social Indicators Research*, 22 (1988): 333-354.

5. FORJADORES DEL TALANTE

ARGYLE, Michael: *The psychology of happiness*, Routledge, East Sussex, Reino Unido, 2001.

CALDER, Nigel: *Einstein's universe*, Penguin Books, Londres, 1980.

CASPI, Avshalom, MOFFITT, Terrie y otros: «Genes, estrés y depresión», *Science*, 18 de julio, 2003.

CHANG, Edward C.: *Optimism & pessimism*, American Psychological Association, Washington DC, 2001.

—: «Cultural variations in optimistic and pessimistic bias: Easterners and Westerners», *Journal of Counseling Psychology* 14 (1996): 113-123.

DAVIDSON, Richard: «Affective styles and affective disorders: perspectives from neuroscience», *Cognition and Emotion* 12 (1998): 307-330.

DEMOSCOPIA: Sondeo de españoles, *El País*, 2 de enero de 2000.

DIENER, Ed: *Culture and subjective well-being*, Massachusetts Institute of Technology, Cambridge, 2000.

EASTERBROOK, Gregg: *The progress paradox*, Random House, Nueva York, 2003.

FIVUSH, Robyn: «Gendered narratives, parent-child reminiscing across the preschool years», *Autobiographical memory*, editado por Thompson, Charles P., Lawrence Erlbaum, Londres, 1998.

FRIEDMAN, Thomas L.: «Worried optimism on Iraq», *The New York Times*, 21 de septiembre, 2003.

GURR, Ted Robert: *Peoples versus states*, US Institute of Peace Press, Nueva York, 2001.

HALPERIN, Morton A.: *The democracy advantage*, Routledge Publishers, Nueva York, 2005.

KIESEPPÄ, Tuula y otros: «High concordance of bipolar I disorder in nationwide sample of twins», *American Journal of Psychiatry* 161 (2004): 1814-1821.

KING, L. A., y NAPA, C. K.: «What makes a good life?», *Journal of Personality and Social Psychology* 75 (1998): 156-165.

LEE, Y.T. y SELIGMAN, Martin: «Are Americans more optimistic than the Chinese?», *Personality and Social Psychology Bulletin* 23(1997): 32-40.

LYKKEN, David: «Research with twins», *Psychophysiology* 19 (1982): 361-367.
—: *Happiness, what studies of twins show us*, Golden Books, Nueva York, 1999.

MASTEN, Ann S. y otros: «Competence y de context of adversity: pathways to resilience and maladaptation from childhood to late adolescence», *Development and Psychopathology* 11 (1999): 143-169.

MAUGHAM, Somerset W.: *The summing up*, Penguin Books, Nueva York, 1968.

MCCRAE, Robert R.: «Personality trait structure as a human universal», *American Psychology* 52 (1997): 509-516.

McCULLOUGH, Michael E. y otros: «Interpersonal forgiving in close relationships», *Journal of Personality and Social Psychology* 75 (1998): 1586-1603.

MYERS, David G.: «Hope and Happiness», *The science of optimism and hope*, editado por Jane E. Gillham, Templeton Foundation Press, Pennsylvania, 2000.

MYERS, David G. y DIENER, Ed: «The pursuit of happiness», *Scientific American* 5 (1996): 54-56

OETTINGEN, Gabriele y otros: «Pessimism and behavioral signs of depression in East versus West Berlin», *Journal of Social Psychology*, 20 (1990): 207-220.

PETERSON, Christopher: *Positive development, realizing the potential of youth*, Sage Publications, California, 2004.

PLOMIN, Robert y otros: «Optimism, pessimism and mental health, a twin adoption analysis», *Personality and Individual Differences*, 13 (1992): 921-930.

PORTER, Eleanor H.: *Pollyanna*, Wordsworth, Hertfordshire, Londres, 1994.

SCHULMAN, Peter y otros: «Is optimism heritable? A study of twins», *Behavior Research and Therapy*, 31 (1993): 569-574.

SHEDLER, Jonathan: «Dimensions of personality pathology: an alternative to the five-factor model», *American Journal of Psychiatry* 161 (2004): 1743-1753.

TRIANDIS, Harry: *Individualism and collectivism*, Westview Press, Boulder, Colorado, 1995.

ZUCKERMAN, Marvin: *Psychobiology of personality*, Cambridge University Press, Cambridge, Reino Unido, 1991.

6. VENENOS DEL OPTIMISMO

BECK, Aaron T.: *Depression, clinical experimental and theoretical aspects*, Hoeber, Nueva York, 1967.

—: *Cognitive therapy and the emotional disorders*, International Universities Press, Nueva York, 1976.

—: *Cognitive therapy of depression*, The Guiford Press, Nueva York, 1979.

—: «Relationship between hopelessness and ultimate suicide», *American Journal of Psychiatry* 147 (1990): 190-195.

BOWLBY, John: *Attachment and loss*, Hogarth Press, Londres, 1975.

CASSEM, Edwin H.: «Depressive disorders in the medically ill», *Psychosomatics* 36 (1995): 2-10.

DEPRESSION: «The changing rate of major depression, cross-national comparisons», *Journal of the American Medical Association*, 268 (1992): 3098-3105.

DUBOVSKY, Steven L.: *Mind-body deceptions*, W.W. Norton, Nueva York, 1997.

GALEA, Sandro y otros: «Psychological sequelae of the September 11 terrorist attacks in New York City», *The New England Journal of Medicine* 346 (2002): 982-987.

GLASSMAN, Alexander y otros: «Depression and the course of coronary artery disease», *America Journal of Psychiatry*, 155 (1998): 4-11.

JONG, Joop T. y otros: «Lifetime events and posttraumatic stress disorder in 4 postconflict settings», *Journal of the American Medical Association* 286 (2001): 555-562.

KENDLER, Kenneth S. y otros: «Causal relationship between stressful life events and the onset of major depression», *American Journal of Psychiatry* 156 (1999): 837-841.

KLERMAN, Gerald y otros: «Increasing rates of depression», *Journal of the American Medical Association*, 261 (1989): 2229-2235.

KLERMAN, Gerald y WEISSMAN, Myrna: *Interpersonal psychotherapy of depression*, Basic Books, Nueva York, 1984.

KRUG, Etienne G. y otros: «Suicide after natural disasters», *The New England Journal of Medicine*, 338 (1998): 373-378.

OLFSON, Mark y otros: «National trend in the outpatient treatment of depression», *Journal of the American Medical Association* 287 (2002): 203-209.

ORGANIZACIÓN MUNDIAL DE LA SALUD: «War, murder and suicide: a year's toll is 1.6 million», *The New York Times*, 3 de octubre de 2002.

STYRON, William: *Darkness visible*, Random House, Nueva York, 1990.

VAILLANT George E.: «Natural history of male psychological health, XIV: Relationship of mood disorder vulnerability to physical health», *American Journal of Psychiatry*, 155 (1990): 184-191.

7. EJERCER DE OPTIMISTA REALISTA

ARGYLE, Michael: *The psychology of happiness, Op. Cit.*

ARMSTRONG, Karen: *A history of God*, Random House, Nueva York, 1993.

BEAUVOIR, Simone de: *La vejez* (1970), Edhasa, Barcelona, 1989.

CALAPRICE, Alice: *The quotable Einstein*, Princeton University Press, Nueva Jersey, 1996.

DALGLEISH, Tim y POWER, MICK: *Handbook of cognition and emotion*, Wiley, Nueva York, 1999.

FRANKL, Viktor E.: *El hombre en busca de sentido*, Herder, Barcelona, 1979.

GOODSTEIN, Laurie: «More religion in the world», *The New York Times*, 9 de enero de 2005.

INGLEHART, Ronald: *Culture shift in advance industrial society*, Princeton University Press, Nueva Jersey, 1990.

ISEN, Alice M.: «Positive affect», *Handbook of cognition and emotion*, John Wiley, Nueva York, 1999.

JAMES, William: *The principles of psychology*, *Op.cit.*

KAHNEMAN, Daniel y otros: «A survey method for characterizing daily life experience», *Science* 306 (2004): 1776-1780.

LYKKEN, David: *Happiness*, Golden Books, Nueva York, 1999.

MARINA, José Antonio: *El laberinto sentimental*, Editorial Anagrama, Barcelona, 1996.

MYERS, David G. y DIENER, Ed: «The pursuit of happiness», *Op.cit.*

ROJAS MARCOS, Luis: *Nuestra felicidad*, Espasa Calpe, Madrid, 2000.

RUSSELL, Bertrand: *La conquista de la felicidad*, *Op.cit.*

SCHACHTER, Stanley: *The psychology of affiliation: experimental studies of the sources of gregariousness*, Stanford University Press, California, 1959.

SELIGMAN, Martin E.P.: *The optimistic child*, Harper Perennial, Nueva York, 1995.

—: *Learned optimism*, *Op.cit.*

SRBI Public Affairs Poll: «What makes us happy?», *Time*, 17 de enero de 2005.

VEENHOVEN, Ruut: *Conditions of happiness*, Dordrecht, Rotterdam, 1984.

WATZLAWICK, Paul: *El arte de amargarse la vida*, Herder, Barcelona, 1990.

—: *The language of change*, W. W. Norton, Nueva York, 1978.

8. Optimismo en acción

ABRAMSON, Lyn y otros: «Optimistic cognitive styles and invulnerability to depression», en *The science of optimism and hope*, editado por Jane Gillman, Templeton Foundation Press, Londres, 2000.

AFFLECK, Glenn y otros: «Daily processes in coping with chronic pain», en *Handbook of coping*, editado por M. Zeidner, Wiley, Nueva York, 1996.

ASPINWALL, Lisa: «Making a case for optimism», *The New York Times*, 20 de junio de 2000.

ASPINWALL, Lisa y otros: «Distinguishing optimism from denial: optimistic beliefs predict attention to health threats», *Personality and Social Psychology Bulletin* 22 (1996): 993-1003.

BARUCH, Grace y BARNETT, Rosaline: «Role quality and psychological well being in midlife women», *Journal of Personality and Social Psychology* 51 (1986): 578-585.

CARVER, Charles: «Optimism, pessimism and postpartum depression», *Cognitive Therapy and Research* 11 (1987): 449-462.

CHANG, Edward C.: *Optimism & pessimism, Op.cit.*

COBB, Leonard y otros: «An evaluation of internal-mammary artery ligation by a double blind technique», *The New England Journal of Medicine* 260 (1959): 1115-18.

DAMASIO, Antonio: *Descartes error*, G. P. Putnam, Nueva York, 1994.

DABBS, James M.: *Heroes, rogues and lovers*, McGraw-Hill, Nueva York, 2000.

DARWIN, Charles: *The expression of the emotions in man and animals*, University of Chicago Press, Chicago, 1965.

DAVIS, Christopher y NOLEN-HOEKSEMA, Susan: «Loss and meaning», *America Behavioral Scientist* 44 (2001): 726-741.

DEMBER, William N.: «The optimism-pessimism instrument: personal and social correlates», en *Optimism & pessimism*, editado por Edward C. Chang, American Psychological Association, Washington, DC, 2001.

DIMOND, Grey y COBB, Leonard: «Comparison of internal mammary ligation and sham operation for angina pectoris», *American Journal of Cardiology* 5 (1960): 483-486.

EGELAND, Jan: «Comments on flood relief», *The New York Times*, 3 de enero de 2005.

ETCOFF, Nancy L.: *Survival of the prettiest*, Doubleday, Nueva York, 1999.

FINCHAM, Frank D. y otros: «The longitudinal relation between attributions and marital satisfaction», *Journal of Family Psychology* 14 (2000): 267-285.

FRADE, Cristina: «Eric Lemarque "Mordido" por la Montaña helada», *El Mundo*, 6 de marzo de 2004.

FRANKL, Viktor E.: *El hombre en busca de sentido*, Op.cit.

FROMM, Erich: *El arte de amar*, Op.cit.

GALTON, Francis: «Vox Populi», *Nature*, 75 (1907): 450-453.

GILTAY, Erik J. y otros: «Dispositional optimism and all cause and cardiovascular mortality in a prospective cohort of elderly Dutch men and women», *Archives of General Psychiatry* 61 (2004): 1126-1135.

GIVEN, Charles, W. y otros: «The influence of cancer patients' symptoms and functional status on patients' depression and family caregivers' reaction and depression», *Health Psychology* 12 (1993): 277-285.

GOODE, Erica: «NASA and who is wanted in space», *The New York Times* 12 de enero de 2004.

GOODWIN, Pamela J. y otros: «The effect of group psychological support on survival in metastatic breast cancer», *The New England Journal of Medicine* 345 (2001): 1719-1726

GOULD, Stephen J.: *Tragic optimism for a millennial dawning*, Encyclopedia Britannica Inc, Chicago, 1999.

GRACELY, Richard y otros: «Clinicians expectations influence placebo analgesia», *The Lancet* 8419 (1985): 43-44.

HACKETT, T.P. y otros: «Effect of denial on cardiac health and psychological assessment», *American Journal of Psychiatry* 139 (1982): 1477-1480.

IDLER, Ellen y otros: «Health perceptions and survival», *Journal of Gerontology* 46 (1991): 55-65.

KAHNEMAN, Daniel y LOVALLO, Dan: «Timid choices and bold forecasts», *Management Science*, 1 de enero de 1993.

KAPLAN, G.A. y otros: «Perceived health and mortality», *American Journal of Epidemiology* 117 (1983): 292-304.

KING, Martin Luther Jr.: *A testament of hope*, HarperCollins, San Francisco, 1986.

LANZA, Frank y otros: «Double-blind comparison of lansoprazole, ranitidine and placebo in the treatment of acute duodenal ulcer», *American Journal of Gastroenterology* 89 (1994): 1191-1200.

LINDE, C. y otros: «Placebo effect of pacemaker implantation in obstructive hypertrophic cardiomyopathy», *American Journal of Cardiology* 83 (1999): 903-907.

LINLEY, Alex y JOSEPH, Stephen: «Positive change following trauma and adversity: a review», *Journal of Traumatic Stress* 17 (2004): 11-21.

LUSKIN, Fred: *Forgive for good*, Op.cit.

MARAÑÓN, Gregorio: «The psychology of gesture», *Journal of Nervous and Mental Diseases* 112 (1950): 469-497.

MARCO, Pilar: «Rajoy acusa al PSOE de "arrastrar un fardo de pesimismo"», *El País*, 9 de febrero de 2004.

MARCUS, Amy D.: «The tyranny of positive thinking», *The Wall Street Journal*, 6 de abril de 2004.

MARUTA, Toshihiko, y otros: «Optimists vs pessimists: survival rate among medical patients over a 30-year period», *Mayo Clinic Proceedings* 75 (2000): 140-143.

MOERMAN, E. Daniel: *Meaning, medicine and the placebo effect*, Cambridge University Press, Nueva York, 2002.

MOSSEY, J.M. y otros: «Self-rated health: a predictor of mortality among the elderly», *American Journal of Public Health* 72 (1982): 800-808.

MYERS, David G.: *The pursuit of happiness, Op.cit.*

NOLEN-HOEKSEMA, Susan y otros: *Coping with loss*, Erlbaum, Nueva Yersey, 1999.

OKUN, Morris y otros: «Health and subjective well-being: a meta-analysis», *International Journal of Aging and Human Development* 19 (1984): 111-132.

PETERSON, Christopher y otros: «Pessimistic explanatory style is a risk factor for physical illness: a thirty-five year longitudinal study», *Journal of Personality and Social Psychology* 55 (1988): 23-27.

—: «Catastrophizing and untimely death», *Psychological Science* 9 (1998): 127-130.

PETROVIC, Predrag: «Drugs and placebo look alike in the brain (Constance Holden)», *Science Magazine*, 8 de febrero de 2002. También en *Neurociencia, El País* 24 de febrero de 2004.

ROJAS MARCOS, Luis: *La pareja rota*, Espasa Calpe, Madrid, 2003.

—: «Elecciones en EE UU y optimismo», *El País* 18 de octubre de 2004.

—: «Cuando el optimismo es noticia», *El País*, 12 de enero de 2005.

—: *Nuestra incierta vida normal*, Aguilar, Madrid, 2004.

RUSSELL, Bertrand: *La conquista de la felicidad, Op.cit.*

SCHEIER, Michael y CARVER, Charles: «Optimism, coping, and health: Assessment and implications of generalized outcome expectancies», *Health Psychology* 4 (1985): 219-247.

SCHEIER, Michael F. y otros: «Optimism, pessimism and psychological well-being», *Optimism & pessimism*, editado por Edward C. Chang, American Psychological Association, Washington DC, 2001.

SCHNEIDER, Lon y otros: «An 8-week multicenter, parallel-group, double-blind, placebo controlled study of sertraline in elderly outpatients with major depression», *American Journal of Psychiatry* 160 (2003): 1277-1285.

SCHWARTZ, John: «NASA official held on to hope in the shuttle's final moments», *The New York Times*, 15 de febrero de 2003.

SELIGMAN, Martin E.P. y otros: «Explanatory style as a predictor of performance as a life insurance agent», *Journal of Personality and Social Psychology* 50 (1986): 832-838.

—: «Explanatory style as a mechanism of disappointing athletic performance», *Psychological Science* 1 (1990): 143-146.

SHAPIRO, Arthur K.: *The powerful placebo*, Johns Hopkins University Press, Baltimore, 1997.

SHERIDAN, Robert y otros: «Long-term outcome of children surviving massive burns», *Journal of the American Medical Association* 283 (2000): 69-73.

SMITH, T.: «Optimism and surgeons», *British Medical Journal* 308 (1994): 1305-1306.

SMYTH, Joshua M. y otros: «Effects of writing about stressful experiences on symptom reduction in patients with asthma or rheumatoid arthritis», *Journal of the American Medical Association* 281 (1999): 1304-1309.

SOLOMON, Deborah: «Questions for Stephen Hawking», *The New York Times Magazine*, 12 de diciembre de 2004.

SPERLING, Michael B. y BERMAN, William H.: *Attachment in adults: Theory, assessment and treatment*, Guildford, Nueva York, 1994.

SPIEGEL, David: «Healing words, emotional expression and disease outcome», *Journal of the American Medical Association* 281 (1999): 1328-9.

TENNEN, Howard y AFFLECK, Glenn: «Finding benefits in adversity», *Coping, the psychology of what works*, editado por C. R. Snyder, Oxford University Press, Nueva York, 1999.

VAILLANT, George E.: «Mental Health», *American Journal of Psychiatry* 160 (2003): 1373-1384.

VAUGHAN, Susan C.: *Half empty half full, Op.cit.*

VEENHOVEN, Ruut: *Conditions of happiness. Op.cit.*
—: *How harmful is happiness*, Universitaire Press, Rotterdam, 1989.

WEICK, Karl E.: *Making sense of the organization*, Blackwell, Nueva York, 2001.

WILLIAMS, Redford y otros: «Psychosocial risk factors for cardiovascular disease», *Journal of the American Medical Association* 290 (2003): 2190-2192.

WOLF, Steward: *Human gastric function: an experimental study of a man and his stomach*, Oxford University Press, Nueva York, 1947.

—: «Effects of suggestion and conditioning on the action of chemical agents in human subjects: the pharmacology of placebos», *Journal of Clinical Investigation* 29 (1950): 100-109.

YAN, Lijing y otros: «Psychosocial factors and risk of hypertension», *Journal of the American Medical Association* 290 (2003): 2138-2148.

YEHUDA, Rachel: «Post-traumatic stress disorder», *The New England Journal of Medicine* 346 (2002): 108-114.

ZULLOW, Harold y otros: «Pessimistic explanatory style in the historical record», *American Psychologist* 43 (1988): 673-682.

ZULLOW, Harold y SELIGMAN E.P.: «Pessimistic rumination predicts defeat of presidential candidates», *Psychological Inquiry* 1 (1990): 5-9.

Índice analítico